Lélia Gonzalez

Dados Internacionais de Catalogação na Publicação (CIP)
(Câmara Brasileira do Livro, SP, Brasil)

Ratts, Alex
Lélia Gonzalez / Alex Ratts, Flavia Rios. — São Paulo : Selo Negro, 2010. — (Retratos do Brasil Negro / coordenada por Vera Lúcia Benedito)

Bibliografia.
ISBN 978-85-87478-42-9

1. Ativistas pelos direitos humanos - Biografia 2. Gonzalez, Lélia, 1935-1994 3. Mulheres - Biografia 4. Mulheres negras - Atividade política I. Rios, Flavia. II. Benedito, Vera Lúcia. III. Título. IV. Série.

10-04256 CDD-305.48896

Índice para catálogo sistemático:

1. Brasil : Ativistas negras : Biografia 305.48896

Lélia Gonzalez

Alex Ratts
Flavia Rios

Editora executiva: **Soraia Bini Cury**
Editoras assistentes: **Andressa Bezerra e Salete Del Guerra**
Coordenadora da coleção: **Vera Lúcia Benedito**
Projeto gráfico de capa e miolo: **Gabrielly Silva/Origem Design**
Diagramação: **Acqua Estúdio Gráfico**
Foto da capa: **Januário Garcia**
Impressão: **Sumago Gráfica Editorial Ltda.**

Selo Negro Edições
Departamento editorial:
Rua Itapicuru, 613 – 7º andar
05006-000 – São Paulo – SP
Fone: (11) 3872-3322
Fax: (11) 3872-7476
http://www.selonegro.com.br
e-mail: selonegro@selonegro.com.br

Atendimento ao consumidor:
Summus Editorial
Fone: (11) 3865-9890

Vendas por atacado:
Fone: (11) 3873-8638
Fax: (11) 3873-7085
e-mail: vendas@summus.com.br

Impresso no Brasil

Alex Ratts dedica este livro a Nathasha Ratts, que na sua adolescência lê a plenos vapores.

Flavia Rios dedica este livro às Louva-Deusas, pela amizade de sempre.

Agradecimentos

Os autores agradecem aos funcionários e dirigentes das instituições públicas e privadas nas quais puderam levantar fontes e consultar documentos imprescindíveis à realização deste trabalho: Arquivo Público do Estado do Rio de Janeiro/Departamento de Ordem Política e Social (Dops), Biblioteca Nacional, Biblioteca Florestan Fernandes-USP, Arquivo Nacional, Arquivo do Estado de São Paulo, Acervo Audiovisual da Universidade do Estado do Rio de Janeiro, Centro de Estudos Afro-Asiáticos da Universidade Cândido Mendes e biblioteca do Geledés – Instituto da Mulher Negra. Também a todos os que colaboraram nas etapas de entrevista, levantamento/coleta de dados e acompanhamento durante a produção do texto. Agradecem aos amigos cariocas – Rodrigo Reduzino e Joilson Santana, Vanusa e Hellen Barcelos – pela hospedagem e abrigo no início e no final da pesquisa no Rio de Janeiro e ainda a Juliana Jardel, Clécia Santana e Diogo Marçal Cirqueira, fundamentais no apoio em Goiânia e na leitura de trechos do livro. A Luciana

Pereira e Igor Alencar, pela transcrição das entrevistas, sendo que a primeira também leu e comentou cuidadosamente trechos dos originais. A Cinthia Marques do Santos e José Paulo Teixeira, pela contribuição no ordenamento de parte do material. Aos entrevistados que conheceram Lélia Gonzalez em momentos distintos de sua trajetória e indicaram ou cederam outras fontes de pesquisa: em São Paulo, Rafael Pinto e Milton Barbosa; no Rio, Ana Maria Felippe, Benedita da Silva, Elizabeth Viana, Hilton Cobra, Helena Theodoro, Januário Garcia e Rose Marie Muraro. A Eliane Almeida, também no Rio, e a Rubens Rufino, em Brasília, ambos sobrinhos de Lélia Gonzalez, por terem colaborado com este projeto. A Carlos Moore, que nos autorizou a utilizar suas entrevistas com a biografada. A Nelson Inocêncio, em Brasília, pelo fornecimento de material impresso sobre Lélia Gonzalez, e a Schuma Schumaher, no Rio, por disponibilizar documentos relativos ao Movimento Negro Unificado e ao Conselho Nacional dos Direitos da Mulher. A Carlos Alberto Medeiros e Paulo Roberto (Paulinho Boca), pelos diálogos referentes à Lélia Gonzalez e outros intelectuais e ativistas negros dos anos 1970 e 1980. Pela disposição em colaborar conosco, nossos agradecimentos a Luiz Ferreira (MA), Luiza Bairros (BA), Shawna Davis (EUA), Zezé Motta, Jurema Werneck, Lúcia Xavier e Amauri Mendes Pereira (RJ). Por fim, a Matheus Gato de Jesus, pela companhia e solidariedade durante a pesquisa e pelos comentários críticos e sugestões valiosas.

Sumário

Introdução

Em 1986, nas primeiras eleições pós-ditadura militar – que havia governado o Brasil de 1964 até 1985 –, Lélia Gonzalez, intelectual, militante e feminista negra e candidata a deputada estadual pelo Partido Democrático Trabalhista (PDT), aos 51 anos, apresentava-se à sociedade com o seguinte panfleto:

Quem é Lélia Gonzalez?

1. Penúltima de uma família de dezoito irmãos, mãe índia e pai negro, ferroviário.
2. Formação universitária: graduação em História e Filosofia; pós-graduação em Comunicação e Antropologia; cursos livres em Sociologia e Psicanálise.
3. Militante do Movimento Negro. Fundadora do Movimento Negro Unificado. Vice-Presidente Cultural do Instituto de Pesquisa das Culturas Negras (IPCN).
4. Membro do Conselho Diretor do Memorial Zumbi.

5. Militante da luta contra a discriminação da mulher. Primeira mulher negra eleita uma das "Mulheres do Ano" pelo Conselho Nacional de Mulheres do Brasil, em 1981.
6. Membro do Conselho Nacional dos Direitos da Mulher.
7. Primeira mulher negra a sair do país para divulgar a verdadeira situação da mulher negra brasileira. Vice-Presidente do 1º e do 2º Seminário da ONU sobre a "Mulher e o apartheid" (Montreal-Canadá e Helsinque-Finlândia, 1980). Representante brasileira do Fórum da Meia Década da Mulher (Copenhague-Dinamarca, 1980). Convidada especial da ONU para a conferência sobre "Sanções" contra a África do Sul (Paris-França, 1981). Representante brasileira no Seminário "Um outro desenvolvimento com as mulheres" (Dacar-Senegal, 1982). Representante brasileira no Fórum de Encerramento da Década da Mulher (Nairóbi-Quênia, 1985).
8. Autora de artigos (no Brasil e no exterior) e livros sobre as condições de exploração e opressão do negro e da mulher.
9. Membro do Conselho Diretor da Sociedade Internacional para o Desenvolvimento (SID), com sede em Roma.
10. Professora com longa experiência de trabalho em escolas, colégios e universidades; atualmente, é professora de Cultura Popular Brasileira e de Proxemia da Pontifícia Universidade Católica do Rio de Janeiro (PUC-RJ).

Lélia foi eleita como suplente, e muito do que se conhece a seu respeito está sintetizado nos pontos mencionados.

Nascida em 1935 em Belo Horizonte e falecida em 1994 no Rio de Janeiro, Lélia de Almeida Gonzalez foi uma figura extremamente importante para o debate sobre as questões de raça, gênero e classe.

Antes de mais nada, é preciso dizer que escrever a biografia de Lélia Gonzalez não é fazer o "resgate" de uma pessoa negra que se tornou conhecida no Brasil e no exterior. É bem mais que isso, pois essa intelectual ativista faz parte de um esforço coletivo de legitimação intelectual protagonizado pelo movimento negro e feminista no processo de redemocratização do Brasil. Estamos cientes, no entanto, de que contar a história de uma pessoa negra, especificamente de uma mulher, nos coloca na delicada posição de, tomando emprestadas as palavras de Jorge Luis Borges, "avaliar o perímetro dos vazios e das lacunas".

Lélia Gonzalez é verbete do *Dicionário de mulheres do Brasil*, da *Enciclopédia da diáspora africana* e da *Enciclopédia Encarta africana*. Alguns de seus artigos são citados em trabalhos contemporâneos escritos em português, inglês, espanhol e francês, os quais abordam as relações raciais e de gênero. Desde o ano de 1999, como veremos, vasto material tem sido produzido sobre as ideias e a vida dessa ativista.

Lélia é hoje reconhecida e reverenciada de várias maneiras: é nome de um colégio estadual no bairro de Ramos (Rio de Janeiro), de um Centro de Referência Negra (Goiânia), de uma Cooperativa Educacional (Aracaju). Nas mãos de Anna Rigato e Cláudio Donato, sua figura virou grafite para a fachada de um ponto de cultura voltado para mulheres (Guarulhos). Por duas vezes o bloco afro Ilê Aiyê a homenageou no carnaval baiano: em 1997, inserindo-a no tema "Pérolas Negras do Saber", e, no ano seguinte, com o tema "Candaces". A peça *Candaces – A reconstrução do fogo*, inspirada em suas reflexões, com texto e direção de Marcio Meirelles e realização da Cia. dos Comuns, foi apresentada em 2003, no Rio de Janeiro, nos teatros Gláucio Gil e Carlos Gomes. Em 2000, a Associação Nacional dos Docentes de Instituições do Ensino Superior (Andes) criou uma premiação nacional em distintas áreas, sendo que o prêmio para ensaios sobre educação e o negro brasileiro levava o nome de Lélia Gonzalez. Em São Paulo, a biblioteca do Geledés – Instituto da Mulher Negra também receberia seu nome em 2002.

Lélia Gonzalez tem sido lembrada em circuitos políticos de mulheres e do feminismo. Ainda em 1994, a *Revista de Estudos Feministas* republicou trechos de uma entrevista sua, dando-lhe novo título: *Lélia fala de Lélia*. Três anos depois, foi realizada a Jornada Lélia Gonzalez, em São Luís do Maranhão, com participação de mulheres negras feministas brasileiras, além da presença de Angela Davis, um dos maiores ícones da luta negra norte-americana em favor dos direitos civis. Em 2003, a *Revista Eparrei*, da Casa de Cultura da Mulher Negra de Santos, publicou matéria intitulada "Imagens de Lélia Gonzalez". No ano seguinte, aos dez anos de sua morte, a Fundação Cultural Palmares organizou, no Rio de Janeiro, a Semana Lélia Gonzalez.

Parcela significativa da trajetória e da produção de Lélia, além de material escrito a seu respeito, está abrigada na organização não governamental Memória Lélia Gonzalez e disponibilizada no *site* www.leliagonzalez.org.br, tendo sido coletada e organizada pela filósofa Ana Maria Felippe, que foi sua aluna e amiga.

Além do referido material, alguns trabalhos foram fundamentais para a elaboração desta biografia. Nesse sentido, destacamos o artigo "Lembrando Lélia Gonzalez", da socióloga Luiza Bairros (1999), e as dissertações *Enegrecendo o feminismo ou feminilizando a raça: narrativas de libertação em Angela Davis e Lélia Gonzalez* (2005), da historiadora Raquel de Andrade Barreto, e *Relações raciais, gênero e movimentos sociais: o pensamento de Lélia Gonzalez (1970-1990)*, da cientista social Elizabeth do Espírito Santo Viana, concluída em 2006.

Além de apresentarem uma linguagem grandiloquente (para elogiar ou detrair o biografado), muitas obras também costumam retratar certas personalidades como pessoas desde muito cedo predestinadas a ser o que se tornaram. Com Lélia Gonzalez não corremos este risco, pois, ainda que sua vida tenha seguido um curso de exceção para uma pessoa negra pobre, sua trajetória até os 40 anos ainda não indicava claramente a militante, feminista, figura pública nacional e internacional que ela se tornaria.

Os autores deste livro não conheceram pessoalmente a biografada; o contato foi apenas com o trabalho da intelectual e ativista. Cada um, na sua vida acadêmica e militante, foi descobrindo os textos de Lélia Gonzalez, participando ou organizando eventos em que seu pensamento era discutido. Assim, nas pesquisas e nos encontros, percebemos que havia um público imenso desejoso de conhecer a vida e a produção intelectual de Lélia Gonzalez.

Neste livro, a biografada aparece em parte por ela mesma, nas citações de seus textos, e também por meio de pessoas que foram entrevistadas ou cujos artigos e livros consultamos. Nas suas falas públicas, algumas convertidas em artigos, suas memórias, opiniões e emoções aparecem com frequência. Assim, essa foi uma das fontes fundamentais para a elaboração desta biografia.

Há dificuldades específicas de levantar a trajetória de pessoas públicas que não pertencem a circuitos hegemônicos de poder. Em geral, seu espólio se perde ou fica disperso com amigos e/ou parentes, sendo de difícil acesso para pesquisadores. É o que costuma acontecer com intelectuais negros brasileiros. E foi o que aconteceu com Lélia Gonzalez no que diz respeito a documentos pessoais, originais de suas publicações, fotografias etc.

O livro foi dividido em partes e subdividido em capítulos. A primeira parte, "Antes de se tornar Lélia Gonzalez", compreende infância, adolescência, juventude e vida adulta da biografada, de estudante a professora, antes de se tornar militante negra e feminista. A segunda parte, "Lélia Gonzalez com nome e sobrenome", segue uma organização temática, abrangendo o período inicial do seu ativismo (político, negro e feminista) e sua atividade docente, política e intelectual, de meados da década de 1970 até 1991. A seguinte, "Depois de Lélia Gonzalez", que aborda os anos que antecederam sua morte, em 1994, compreende os significados de sua perda e a importância de seu legado para o Brasil, para o mundo e para os estudos de raça, gênero e classe. Ao final, o apêndice "Lélia de Almeida Gonzalez – Formação, atuação e publicações" condensa a trajetória educacional, as atividades docentes, culturais e políticas e os escritos da biografada.

PARTE I

ANTES DE SE TORNAR LÉLIA GONZALEZ

1.
A pequena Lélia

Em 1979, Lélia Gonzalez utilizou a seguinte declaração para dar início a mais uma de suas apresentações públicas: "A barra é pesada. Eu sou uma mulher nascida de família pobre. Meu pai era operário, negro. Minha mãe, uma índia analfabeta. Tiveram dezoito filhos, e eu sou a décima sétima".

No primeiro dia do mês de fevereiro de 1935, uma menina nasceu e foi registrada no cartório da jovem cidade de Belo Horizonte como Lélia de Almeida, penúltima dos dezoito filhos do casal Urcinda Serafim de Almeida e Acácio Joaquim de Almeida. Dona Urcinda, que a teve aos 36 anos de idade, era uma empregada doméstica de ascendência indígena. Seu Acácio, um ferroviário negro.

Nesse período, Belo Horizonte, uma cidade planejada, já contava com mais de 120 mil habitantes. Na antiga regionalização do país, Minas Gerais pertencia à região Este (ou Leste), junto com os estados de Sergipe, Bahia, Espírito Santo e Rio de Janeiro.

No que diz respeito à mãe de Lélia Gonzalez, seu atestado de óbito informa que ela nasceu por volta de 1889, no Espírito Santo. Era filha de José Serafim dos Anjos e Deolinda Serafim dos Anjos.

Infelizmente, não conseguimos determinar a etnia de dona Urcinda. Porém, os grupos indígenas identificados naquela época eram os tupiniquins, no Espírito Santo, e os maxacalis e os krenaks, em Minas Gerais, povos que, desde o início do século XX, entraram em conflito com os construtores das estradas de ferro que ligavam Minas, Bahia e Espírito Santo. São considerados remanescentes dos chamados botocudos ou aimorés – que, com a imagem de "índios bravos", povoaram o imaginário colonial do leste do país.

Naquele período, o Estado brasileiro preocupou-se em quantificar as pessoas que tinham ou não condições de falar português corretamente. Fez também o registro daqueles que falavam "o Guarani e outras línguas aborígines" (IBGE, 1940, p. 13). A mãe de Lélia e seus antepassados indígenas provavelmente se enquadravam nessa categoria.

Ao mesmo tempo que valorizava a presença de imigrantes da Europa ocidental – parte do processo de branqueamento da sociedade brasileira –, o Estado, durante a Era Vargas[1], adotou políticas de nacionalização que se estendiam do campo educacional para a vida pública. Uma delas foi a proibição das línguas estrangeiras ou "aborígines" tanto nas escolas quanto em locais públicos. De modo geral, esse era o quadro da diver-

1. Compreende as fases democráticas e ditatoriais em que Getulio Vargas foi ininterruptamente presidente do país (1930-1945).

sidade étnica e linguística: imigrantes estudando em escolas alemãs ou ouvindo programas de rádio em dialeto italiano, brasileiros dialogando em línguas indígenas ou afro-brasileiras, além das mais variadas formas de comunicação utilizadas em casa e nas ruas.

Na década de 1930, a empregada doméstica negra era tratada como mucama (antiga escrava doméstica). Nessa situação enquadravam-se as cozinheiras, as lavadeiras e as amas de leite. Em 1935, embora as mulheres tivessem acabado de conquistar o direito ao voto, seu acesso à escola e ao mercado de trabalho ainda era muito precário. O voto feminino foi uma conquista lenta, mas progressiva, que veio de campanhas da segunda metade do século XIX e ganhou força no início do século seguinte.

Até então, as mulheres eram predominantemente figuras da vida privada, e esta é a imagem que se tem de dona Urcinda Serafim de Almeida. Sobre as condições de estudo e de trabalho das irmãs mais velhas de Lélia, o pouco que se sabe vem de informações dadas pela própria:

> E acontece que nessa família todos trabalhavam, ninguém passava da escola primária, mesmo porque o esquema ideológico internalizado pela família era esse: estudava-se até a escola primária e, depois, todo mundo ia à batalha [...] pra ajudar a sustentar o resto da família. Mas, no meu caso, o que aconteceu foi que, [por ser] uma das últimas, a penúltima da família, já tendo como companheiros de infância os meus próprios sobrinhos [...] a visão de meus pais com relação a mim já foi uma visão de neta,

> praticamente. Então, eu tive oportunidade de estudar, fiz jardim de infância ainda em Belo Horizonte [...]. (Pereira e Hollanda, 1980, p. 202)

As barreiras de classe, de raça e de gênero foram duras para toda a família. Lélia, no entanto, pôde frequentar o jardim de infância. Naquele tempo, isso era quase uma exceção para crianças pobres e negras. A oportunidade de estudo surgiu por intermédio de uma família italiana para a qual dona Urcinda trabalhava como doméstica e, eventualmente, ama de leite:

> Já em Belo Horizonte houve uma coisa que muito me marcou, minha mãe trabalhou como ama de leite de uma família italiana onde a mãe de uma criança tinha morrido no parto, e essa família tinha uma menina que havia nascido na mesma época que eu. Nós fizemos amizade e, quando ela foi para o colégio, os pais dessa minha amiguinha se ofereceram pra pagar a escola pra mim. (*O Pasquim*, 1986, p. 10)

No Brasil, dos tempos de escravismo até primeira metade do século XX, ser ama de leite era muito comum para mulheres não brancas, o que demonstra que a função de doméstica não se restringia aos cuidados do lar (cozinhar, lavar, passar, limpar).

Sobre o pai de Lélia também não foi possível descobrir muita coisa, apenas que se chamava Joaquim Acácio, era "operário, negro" e "velho ferroviário getulista" (*O Pasquim*, 1986, p. 10). É importante lembrar que os ferroviários não apenas colaboraram com a abolição da escravatura no Brasil (por exemplo, ao transportar escravos fugitivos no Ceará), mas também promoveram, no início do século XX, greves pelos direitos dos trabalhadores no Rio de Janeiro e em São Paulo. Assim como outros trabalhadores, os ferroviários em grande medida aderiram ao projeto getulista, obtendo um misto de ganhos materiais e simbólicos.

Na Era Vargas, a ação populista do presidente, em parte voltada para as classes trabalhadoras, contribuiu para a formação de uma consciência popular nesse segmento. Getulio era chamado de "pai dos pobres", expressão que reflete as marcas do patriarcalismo na sociedade brasileira. A concessão de alguns direitos, como a "carteira de trabalho", fazia parte desse quadro simbólico.

Quando Lélia nasceu, Getulio, após um período provisório (1930-1934), estava na segunda fase de seu governo (1934-1937). Em 1937, depois de derrubar a Constituição de 1934, assumiu o poder por meio de um golpe de Estado e fechou o Congresso Nacional, dando início à ditadura que duraria até 1945. Passado esse período, ele se afastou do poder até retornar, em 1951, como presidente eleito. Em 1954, suicidou-se com um tiro no coração.

Voltando ao grupo familiar de Lélia, nesse período entrou em cena um dos irmãos mais velhos, Jaime de Almeida, jogador de futebol do Clube Atlético Mineiro, fundado em Belo Horizonte em 1908. Por sua atuação, o rapaz foi convidado para jogar no Clube de Regatas Flamengo, na cidade do Rio de Janeiro. Introduzido oficialmente no país por brancos ingleses no final do século XIX, o futebol era praticado em clubes que rejeitavam a presença de negros e mestiços. Para estudiosos do tema, a década de 1930 marcou a entrada de jogadores negros nesse cenário. Também nessa época símbolos étnicos e raciais – como a feijoada, a capoeira e o samba – foram parcialmente incorporados a uma ideia de cultura nacional. Ao tomar consciência das barreiras de cor e raça, vários negros começaram a se organizar. A Frente Negra Brasileira, fundada em 1931 e que congregava filiados (homens e mulheres) em grande parte do país, foi "fechada" pelo governo durante a fase ditatorial da Era Vargas. Em Belo Horizonte, foram criados, nas décadas seguintes, o Grêmio Literário Cruz e Souza (1943) e a Associação José do Patrocínio (1951) (Domingues, 2007; Silva, 2003).

Até então, o mais representativo movimento de mulheres era a Federação Brasileira para o Progresso Feminino (FBPF), fundada em 1922 e dirigida pela bióloga Bertha Lutz, que realizou no Rio de Janeiro, no mesmo ano, o primeiro Congresso Internacional Feminista. A FBPF atuou firmemente até ser desmobilizada – junto com a Frente Negra Brasileira e outras organizações sociais ou partidárias – pelo golpe de 1937.

Aos 7 anos, quando Lélia migrou com a mãe e os irmãos para o Rio de Janeiro, seu pai já havia falecido e a cidade de Belo Horizonte – em franco desenvolvimento e governada por Juscelino Kubitschek – contava com mais de duzentos mil habitantes. O deslocamento social e espacial parece ser uma dimensão muito importante na trajetória de intelectuais negros oriundos das classes populares. Naquele período, os familiares jovens e adultos da pequena Lélia viviam longe de qualquer círculo de associativismo e ativismo sindical, feminista ou negro.

2.

A jovem Lélia estuda e se desloca do "lugar de negro"

Jaime de Almeida levou a família de Belo Horizonte para o Rio de Janeiro. Não se sabe ao certo como percorreram os mais de quatrocentos quilômetros que separam as duas cidades, mas não é difícil imaginar as dificuldades que enfrentaram – mãe e filhos mais velhos cuidando dos mais novos, a caminho da capital do país. Teriam passado por Conselheiro Lafaiete, Juiz de Fora, Barbacena e Três Rios. Também é provável que tenham viajado de trem, chegando ao Rio de Janeiro por Vassouras, Volta Redonda, Piraí e Duque de Caxias.

Jaime se tornou um jogador importante e famoso no Fluminense e no país inteiro. E foi exatamente na década de 1940 que parte da oposição à presença de jogadores negros no futebol começou a ser vencida. Alguns pesquisadores alegam que essa resistência diminuiu devido ao talento e à competência dos primeiros jogadores negros. Segundo o cronista de futebol Mario Filho, os campeonatos ainda eram vistos como "guerras". No entanto, Jaime se destacava dos demais atletas pelo seu ótimo comportamento em campo, chegando até mesmo a ser ironizado por colegas e técnicos:

> Só tinha uma restrição a respeito dele: era limpo demais. Em plena guerra dos campeonatos, valendo tudo, Jaime de Almeida era incapaz de dar um pontapé. De entrar duro na disputa de uma bola. De parar o jogador do outro time que passava por ele: ou com um calço, com um rapa ou mesmo puxando-o pela camisa, segurando-o pelo calção.
>
> [...] Podiam meter-lhe o pé que ele não revidava. Chegava no vestiário capengando, Flávio Costa [técnico do Flamengo] aproveitava o momento para doutriná-lo.
>
> — Você vê? Não adianta ser limpo. Um dia te arrebentam.
>
> Jaime de Almeida nem respondia. (Filho, 2003, p. 266)

Tal qual Lélia mais à frente, à medida que se destacou em sua área de atuação, Jaime também teve de se conformar com determinados padrões de comportamento que apareciam na maneira como sua corporeidade era vista e interpretada:

> Era um preto bonito, de cara redonda, cheio de saúde, alto, com aquela dignidade boa, de alma, que a gente via no cinema, em certos pretos imponentes, escolhidos a dedo, para representar o mordomo do velho Sul dos Estados Unidos. Bastava, com a fantasia solta, fechando os olhos, vestir Jaime de Almeida de mordomo de *My old Kentucky home*.[2]

---

2. Filme estadunidense de 1938 que se passa no Sul daquele país, região de largo passado escravista.

> Falava manso, a voz um pouco arrastada de mineiro. Tudo nele recendia limpeza, bondade, lealdade. (Filho, 2003, p. 266)

Nota-se que o autor retrata Jaime de Almeida como uma figura subalterna, semelhante aos papéis relegados aos negros tanto no cinema quanto na própria sociedade. O grande jogador negro, chamado pelo autor de "um Gandhi", parecia não ter lugar nas disputas comuns, quase vulgares, mas de conteúdo racializado:

> Quando se queria citar um jogador modelo, um novo Mimi Sodré, só um nome acodia [sic] todas as bocas: Jaime de Almeida. Flávio Costa esperava que um dia Jaime de Almeida abrisse os olhos e visse que o futebol, valendo dois pontos, valendo um título de campeão, não comportava um Gandhi. Era o branco tentando corromper um preto. Não para fazê-lo igual aos outros pretos, que soltavam o pé. Para fazê-lo igual aos pretos e brancos, que, na hora de meter o sarrafo, eram iguais. (Filho, 2003, p. 266)

Percebe-se que o autor, diante da excepcionalidade de Jaime, não encontrou referências no imaginário nacional para descrevê-lo. Infelizmente, não foi possível encontrar uma declaração de Jaime, nem mesmo de Lélia, sobre a postura e a atuação do jogador. O paternalismo com o qual é tratado um negro que se sobressai em uma sociedade racista é algo recorrente. Aquele que se destaca no cenário racial, mesmo que conformado com os padrões de comportamento ocidentalizados, permanece numa espécie de "limbo". É apontado como "diferente", "uma figura rara".

Ao mudar de Belo Horizonte para o Rio de Janeiro, a família de Lélia Gonzalez se inseriu num quadro relativamente bem conhecido no que se refere aos deslocamentos populacionais. No Brasil – e, pode-se dizer, no mundo –, a migração, além de ser um fenômeno vinculado à mobilidade da força de trabalho, também é vista e narrada como uma saga pessoal ou coletiva. No caso de Lélia, nesse período, a situação do irmão se estendeu a toda a família.

Ela, que o considerava um pai, também destacou a busca da superação das barreiras sociais e raciais:

> [...] meu pai simbólico foi o Jaime... meus companheiros de infância eram meu irmão mais novo e os sobrinhos. Meu pai já era de cabelos brancos... bem mais velho que minha mãe... efetivamente meu pai foi o Jaime... eu fiz o mesmo percurso [de] que ele foi modelo... ele ultrapassou a barreira da cor... (*apud* Viana, 2006, p. 45)

Ainda na infância, Lélia chegou a trabalhar como babá de filhos de diretores do clube em que seu irmão jogava. Ocupação, aliás, bastante comum, naquela época, para meninas negras – e um indicativo de que aquelas mulheres se tornariam empregadas domésticas:

> Quando criança eu fui babá de filhinho de madame, você sabe que criança negra começa a trabalhar muito cedo. Teve um diretor do Flamengo que queria que eu fosse pra casa

> dele ser uma empregadinha, daquelas que viram cria da casa. Eu reagi muito contra isso e então o pessoal terminou me trazendo de volta pra casa... (*O Pasquim*, 1986, p. 10)

Como jogador do Flamengo, Jaime parece ter conquistado certa mobilidade social e espacial para si e para a família, e isso contribuiu no crescimento de Lélia. Segundo Viana (2006, p. 48-9),

> [no] Rio de Janeiro, inicialmente, seu irmão alugou uma casa de vila no Leblon. Nesse bairro [Lélia] iniciou o curso primário na Escola Manuel Cícero, localizada na Praça Santos Dumont. Posteriormente, Jaime comprou uma casa para a família no subúrbio de Ricardo de Albuquerque, onde Lélia concluiu o primário. O ginásio ela cursou na Escola Rivadávia Correia e concluiu o Colegial/Científico, em 1954, no Colégio Pedro II, com cerca de 19 anos.

Da infância à juventude, Lélia Gonzalez teve uma trajetória educacional bem sequenciada:

> Fiz escola primária e passei por aquele processo que eu chamo de lavagem cerebral dado pelo discurso pedagógico brasileiro, porque, na medida em que eu aprofundava meus conhecimentos, eu rejeitava cada vez mais minha condição de negra. E, claro, passei pelo ginásio, científico, esses baratos todos. (Gonzalez, 1979, p. 202)

Aos poucos, barreiras raciais, de gênero e sociais foram superadas. A princípio, por Jaime. Depois, também por Lélia. Ambos se destacaram em áreas distintas: ele no esporte e ela na educação, atividades que naquele período representavam dois dos principais mecanismos individuais de ascensão social de pessoas negras.

A Escola Rivadávia Correia foi inaugurada em 1913 na cidade do Rio de Janeiro. E, assim como outras dezenove unidades de ensino profissionalizante separadas por sexo, essa escola (que era para moças) também seguia a proposta definida no Estado Novo após as reformas educacionais: separava a "preparação para o ensino superior" do "ensino profissionalizante destinado às classes trabalhadoras".

Na segunda metade da década de 1940, Lélia cursou o ginásio na Rivadávia. A partir de 1942, depois de uma reforma feita pelo Ministro da Educação e Saúde Pública, Gustavo Capanema, o ensino secundário passou a ser composto por dois ciclos (Brasil, 1942): o primeiro, chamado de ginásio, com duração de quatro anos, dividia as disciplinas em três áreas: Línguas (português, latim, francês e inglês), Ciências (matemática, ciências naturais, história geral, história do Brasil, geografia geral e geografia do Brasil) e Artes (trabalhos manuais, desenho, canto orfeônico[3] e educação física); o segundo era dividido em clássico ou científico.

Foi nesse período que Lélia iniciou o estudo de outros idiomas – algo raro ou, no mínimo, incomum para meninas e jovens negras das classes populares. De francês, ela se tornaria

---

3. O canto orfeônico consistia numa educação musical nacionalista, patriótica e que colocava em plano secundário as produções musicais das classes populares, tratadas como folclore ou mesmo desqualificadas.

tradutora. Porém, história e geografia, disciplinas com grande carga horária no ginásio, atrairiam ainda mais sua atenção.

Algumas fotos dos anos 1930 mostram as jovens da Escola Rivadávia nas atividades escolares com blusas formais – sem nenhum corte que possa ser caracterizado como feminino – e saias abaixo do joelho. Destacam-se nelas os cabelos "bem penteados", isto é, lisos ou ondulados, cortados curtos e mantidos com pouco volume.

Contudo, foi no tradicional Colégio Pedro II que Lélia Gonzalez, na década de 1950, fez o curso científico. Pela reforma educacional de 1942, o segundo ciclo denominado de clássico e científico devia compreender três conjuntos de disciplinas: Línguas (português, latim, grego, francês, inglês, espanhol); Ciências e Filosofia (matemática, física, química, biologia, história geral, história do Brasil, geografia geral, geografia do Brasil, filosofia); e Artes (desenho). As línguas latina e grega estavam reservadas ao curso clássico. Por esse currículo, é possível deduzir que Lélia continuou estudando línguas estrangeiras.

Às disciplinas de história e geografia, que tanto atraíam o interesse de Lélia, foi acrescida a de filosofia – matérias que comporiam as áreas de sua formação acadêmica. No programa de história do Brasil, no caso da composição étnica brasileira, os autores superestimavam a contribuição dos europeus, especialmente dos portugueses, e subestimavam a dos indígenas e africanos. Para Abud (2008, p. 36-8),

> o silvícola brasileiro era apresentado ainda com os traços que o Romantismo havia lhe dado – um aspecto heroico de um povo que já havia desaparecido [...] e sem

> nenhuma relação com seus vilipendiados descendentes contemporâneos. [...] Procurava-se encontrar também uma unidade étnica, no caso a branca, para o povo brasileiro, tentando transformar a miscigenação que nos tornaria *inferiores*[4], dada a maciça presença do negro, num processo de branqueamento. Enfatizava-se, contudo, a influência que os africanos e índios teriam exercido sobre nossa formação cultural, isto é, na língua, na culinária e nas "superstições", como os livros chamavam as religiões de origem africana.

No ensino secundário, geografia era matéria obrigatória no Colégio Pedro II, ministrada, sobretudo, com os livros do professor Delgado de Carvalho. Hoje denominada tradicional, essa geografia incorporava temas e conteúdos gerados na escola francesa, porém sem deixar de abordar os fundamentos da chamada escola alemã. No colégio Pedro II ensinava-se uma geografia humana, que não apenas se relacionava com a antropologia, a história e a arqueologia, mas também com a estatística e a demografia (Carvalho e Castro, 1963). O ensino dessa ciência dividia os grupos humanos em raças, etnias e povos, ainda que desqualificando o primeiro termo, como nos indicam o próprio Delgado de Carvalho e sua colaboradora Therezinha de Castro (1963, p. 28):

> A afirmação mais categórica que pode ser feita em matéria de raças é que não existem mais, atualmente, raças humanas puras. É por abuso que foi introduzido este termo no vocabulário científico atual.

---

4. Grifo da autora.

> Antigamente, a palavra raça era usada para distinguir um grupo de indivíduos portadores dos mesmos caracteres físicos, isto é, cor da pele, forma do crânio, forma do nariz, tipo do cabelo, formas do queixo e lábios, cor e forma dos olhos, estatura etc. Em vista das migrações constantes, mormente na atualidade, com os meios fáceis de comunicação, pode-se dizer que não há mais na face da Terra uma *raça pura*. Os antropólogos substituíram o termo raça pelo de *etnia*. Atualmente, é mais prudente ainda, para uma classificação geral, reunir a população da Terra em povos, não se levando em conta os caracteres físicos como forma predominante. Define-se, então, povo como um conjunto de indivíduos que falam geralmente a mesma língua, possuem costumes semelhantes, transmitidos de pai para filho, e uma *história comum*[5].

Mesmo utilizando o termo etnia em vez de raça, Carvalho e Castro listam elementos de diferenciação e classificação das etnias, com base na corporeidade. Raça e etnicidade continuavam fazendo parte da construção da ideia de nação, de civismo e nacionalismo.

Para que Lélia pudesse dar continuidade aos seus estudos, foi fundamental a solidariedade familiar e dos amigos, como ela própria rememora:

> Me recordo perfeitamente que cada um dava uma coisinha, uma irmã dava um sapatinho, outra dava uma mei-

5. Todos os grifos são dos autores.

> nha e outra fazia o uniforme etc. [...] Estudei com muita dificuldade. Os livros eram emprestados pelas colegas [...] eu ia estudar nas casas das colegas. Enfim, até chegar na Universidade. (*Apud* Viana, 2006, p. 48)

Ana Maria Felippe (2009, p. 8), amiga de Lélia e sua ex-aluna, indica um dos trajetos que a jovem estudante negra precisou percorrer muitas vezes entre o subúrbio e o centro da cidade:

> Pela localização da residência, se percebe que Lélia viajou muito no trem suburbano da Central do Brasil, junto com o "povão" (como dizia), principalmente quando estudou no Colégio Estadual Orsina da Fonseca (ao lado do terminal da Central do Brasil, no centro da cidade) e no Colégio Pedro II (na avenida Marechal Floriano, também próxima à Central do Brasil).

Em se tratando de uma cidade segregada, pessoas de classe média reservavam para si passeios nas paisagens cariocas eleitas como belas. Além da Lagoa Rodrigo de Freitas e das praias – Flamengo, Botafogo, Ipanema, Copacabana e Leblon –, um panfleto de uma companhia estrangeira de distribuição de combustível sugeria um trajeto pelo Circuito da Gávea, que incluía a "Pedra Dois Irmãos" e o Jockey Clube.

Lélia não chegou a mencionar se conviveu com tais pessoas nesses ambientes. Sabemos, no entanto, que nessa época ela estava começando a sair dos lugares sociais predestinados à população negra, que ela chamaria de "lugar de negro".

3.

Aquela pretinha legal: a estudante que se comporta e se destaca

Para a classe média, a década de 1950, com o fim da Segunda Guerra e a transformação dos Estados Unidos em potência mundial – o que, aliás, acabaria influenciando o comportamento e o consumo –, ficou registrada na memória como o período dos "anos dourados".

A partir de 1950, ano em que o estádio do Maracanã foi inaugurado, o Rio de Janeiro se tornou sinônimo de Brasil. O futebol foi transformado em esporte nacional, e em 1958 o país, enfim, ganhou a Copa do Mundo da Suíça.

No que se refere à música, especialmente, havia uma espécie de intercâmbio (ainda que desigual) entre os sambistas – que desciam o morro durante o carnaval e para gravar discos em estúdio – e os jovens artistas "da cidade" – que subiam o morro querendo se tornar sambistas. Em paralelo, entre os apartamentos da Zona Sul iniciou-se uma movimentação musical que daria origem à bossa-nova – em que se podem destacar artistas negros como Leni Andrade e

Johnny Alf, que começavam a tocar no rádio e a ganhar o coração dos brasileiros.

Adolescente e jovem nesse período – e convivendo com colegas da classe média –, quais teriam sido as formas de lazer e de entretenimento de Lélia? Que locais ela frequentava? Que tipo de música gostava de ouvir?

Suas entrevistas nos transmitem a imagem de uma moça tímida, reprimida, que, de certo modo, se contrapôs ao catolicismo familiar, mas acabou se afastando da comunidade negra. Ao ser questionada sobre o seu relacionamento com o movimento negro, Lélia respondeu:

> Meu relacionamento era sempre uma coisa estranha. Quanto mais você se distancia de sua comunidade em termos ideológicos, mais inseguro você fica e mais você internaliza a questão da ideologia do branqueamento. Você termina criando mecanismos pra você se segurar, houve, por exemplo, uma fase que eu fiquei profundamente espiritualista. Era uma forma de rejeitar meu próprio corpo. Essa questão do branqueamento bateu muito forte em mim e eu sei que bate forte em muitos negros também. (*O Pasquim*, 1986, p. 9)

Em outro momento, ao ser indagada – de modo um tanto impróprio – sobre seus relacionamentos afetivos, ela respondeu que foram poucos, contextualizando-os:

> Meu primeiro namorado era negro, morava no subúrbio; eu também tive um namorado branco. Mais tarde é

> que fui namorar de verdade, eu sempre fui muito tímida e era altamente reprimida. Ao mesmo tempo, eu tinha uma responsabilidade, a minha mãe me sacou muito cedo, foi nessa época que resolvi ficar espírita, eu não aceitava essa história de padre ficar mandando na gente. Eu era muito católica e fui fazer confissão, mas eu me rebelei contra isso e virei espírita, e minha mãe era católica fervorosa e não aceitava de jeito nenhum, e eu resistia violentamente. A barra lá em casa só era aliviada pelo meu irmão. (*O Pasquim*, 1986, p. 9)

Ao que parece, a timidez da jovem negra não era somente uma questão de comportamento, sem ligação com o tema da raça e o contexto social. Tinha muito que ver com uma longa trajetória pessoal que marcava seu trânsito entre os espaços familiar, escolar e público. Morando no subúrbio, estudando de forma "aplicada", ela se afastaria da trajetória de muitas jovens negras e pobres. No entanto, de vez em quando, seu comportamento recatado – ou mesmo reprimido – era permeado por momentos em que ela se destacava das colegas. Sobre a recusa dos valores religiosos de sua mãe e de um crescimento pessoal que a levaria longe, Lélia comentou:

> Um dia minha mãe chegou pra mim e perguntou o que eu estava estudando: ciências, biologia, reprodução. Aí ela olhou pra mim e então saiu, depois deu uma volta e disse: "De hoje em diante eu não tomo mais conta de você, não". Ela me deu uma responsabilidade sobre mim mesma e isso refletiu em termos do meu crescimento intelectual: por

> outro lado, do ponto de vista afetivo, entrou uma interiorização do racismo, eu não queria saber de homem perto de mim. Todos os meus colegas no colégio e na faculdade eram somente colegas, nada além disso. (*O Pasquim*, 1986, p. 9)

Nesse período, Lélia investiu na formação acadêmica: concluiu bacharelado e licenciatura em História e Geografia em 1958, por volta dos 23 anos, na recém-criada Universidade Estadual da Guanabara (atual Universidade do Estado do Rio de Janeiro). Em 1962, concluiu, na mesma instituição, o curso de Filosofia.

Quando completou a segunda graduação, Lélia estava com 27 anos e ainda era solteira, o que a fazia destoar das moças da época. Isso talvez indique um momento específico de percepção das barreiras de classe, raça e gênero: de um lado estava a jovem que se conformava aos padrões; de outro, a que recusava um roteiro traçado. Na observação de Bassanezi (2006, p. 609),

> ser mãe, esposa e dona de casa era considerado o destino natural das mulheres. Na ideologia dos Anos Dourados, maternidade, casamento e dedicação ao lar faziam parte da essência feminina; sem história, sem possibilidades de contestação.

Conforme Lélia completava sua trajetória educacional, ia se enquadrando num contingente restrito de pessoas negras escolarizadas. Para compreender melhor esse quadro, retomemos algumas informações estatísticas e considerações sociológicas.

Com base nos censos de 1940 e 1950, o sociólogo Carlos Hasenbalg (2005, p. 193) demonstra como se estreitava o "gargalo" das oportunidades educacionais para não brancos: "Em 1950, os brancos – representando 63,5% da população total – detinham 97% dos diplomas universitários, 94% dos secundários e 84% dos diplomas da escola primária".

Esse cenário não traduzia somente uma situação de desigualdade racial; o sistema educacional era muito discrepante entre negros e brancos, e isso resultava na dificuldade de acesso da população negra à escolaridade e à ascensão social. Tal "pressão" não vinha apenas dos próprios familiares e vizinhos, mas também de ônus acumulado com a discriminação racial e de gênero. A sociedade da época não estimulava as mulheres a cursar o ensino superior. Fazia o mesmo com as pessoas negras, mais ainda com as mulheres negras.

Ao se inserir em uma paisagem na qual a cor da pele ia clareando à medida que se passava do espaço escolar para o acadêmico, Lélia experimentava também as exigências de se enquadrar no que se referia ao comportamento. Sobre sua passagem de estudante a professora, Lélia diz:

> Na faculdade eu já era uma pessoa de cuca, já perfeitamente embranquecida, dentro do sistema. Eu fiz Filosofia e História. E a partir daí começaram as contradições. Você enquanto mulher e enquanto negra sofre evidentemente um processo de discriminação muito maior. E claro que, enquanto estudante muito popular na escola, como uma pessoa legal, aquela pretinha legal, muito inteligente, os professores gostavam, esses baratos todos... (Gonzalez, 1979, p. 202-3)

Para a coletividade negra de origem, especialmente a familiar, "embora a função de professor nos rendesse *status* e respeito, ser 'demasiado erudito' e intelectual significava que corríamos o risco de ser encarados como esquisitos, estranhos e talvez mesmo loucos" (hooks, 1995, p. 465). Para bell hooks, esse aprendizado ocorreu desde criança, quando sabia a importância de ser "inteligente", mas não "inteligente demais", porque "ser demasiado inteligente era sinônimo de intelectualidade, e isso era motivo de preocupação, sobretudo se se tratasse de uma mulher" (idem). Sabemos que, nesse ponto, Lélia se distanciou da mãe e dos irmãos. No entanto, como veremos, ela permaneceu, de alguma maneira, próxima deles.

No que se diz respeito à normatização do corpo e do comportamento das estudantes (e também dos mestres), Guacira Lopes Louro (2006, p. 461) observa que isso ocorria por meio de uma série de dispositivos, a exemplo de exames públicos, premiações, solenidades, normas de obediência a superiores, regras de pontualidade, assiduidade, regularidade e ordem: "Construía-se uma estética e uma ética. Uniformes sóbrios, avessos à moda, escondiam os corpos das jovens, tornando-os praticamente assexuados, e combinavam com a exigência de uma postura discreta e digna".

É bem provável que Lélia, como estudante, percebesse apenas em parte os elementos dessa construção pessoal e corpórea. Ela certamente viveu a continuidade desse processo ao se transformar em professora, profissional que deveria ter uma postura exemplar:

> O mesmo valia para as professoras: como modelos das estudantes, as mestras deveriam também se trajar de modo discreto e severo, manter maneiras recatadas e silenciar sobre sua vida pessoal. Ensinava-se um modo adequado de se comportar, de falar, de escrever, de argumentar. Aprendiam-se os gestos e olhares modestos e decentes, as formas apropriadas de caminhar e de sentar. Todo um investimento político era realizado sobre o corpo das estudantes e mestras. Através de múltiplos dispositivos e práticas ia se criando um jeito de professora. A escola era, então, de muitos modos incorporada ou corporificada pelas meninas e mulheres – embora nem sempre na direção apontada pelos discursos oficiais, já que essas jovens também constituíam as resistências na subversão dos regulamentos, na transformação das práticas. (Louro, 2006, p. 461)

De qualquer maneira, pode-se dizer que essa foi uma experiência vivida intensamente pela jovem Lélia de Almeida. Tendo em mente o horizonte racial da sociedade brasileira, ela, em consonância com outros autores, chamará esse processo de "embranquecimento" ou "branqueamento".

Muitos intelectuais negros brasileiros discutiram o que seria tal processo. Abdias Nascimento, em *Genocídio do negro brasileiro* (1978), compara-o às noções de assimilação e aculturação, e lista elementos que o compõem: a ausência da memória e da história da África e de referências adequadas ao africano e ao negro no sistema educacional, incluindo a universidade; a "estética da brancura", ou seja, a predileção pelo modelo branco de beleza, arte e cultura e a concomitante rejeição no que se refere ao africano e ao negro; a insistência na interpretação das relações raciais brasileiras como harmônicas e sem espaço para a expressão política e cultural negra; a reprodução de estereótipos raciais (e sexistas); e, por fim, o desejo de ser o Outro: branco, europeu, colonizador, ocidental.

Nenhuma experiência pessoal ou social é vivida numa via de mão única. Ao mesmo tempo que Lélia, na maturidade, repensava o processo de branqueamento vivido na juventude, também é possível perceber que ela experimentou uma crítica ao seu comportamento e a sua postura social e racial.

Ao adentrar a "torre de marfim" que era a universidade brasileira – pensada "por" e "para" as elites –, a moça negra deveria se moldar ainda mais. Entretanto, não foi bem isso que aconteceu com Lélia. Ela cursou duas graduações que, posteriormente, foram retomadas em suas atividades de intelectual e ativista. Tornou-se fluente em francês e também estudou inglês e espanhol. Foi uma fase de contradições. Nessa trajetória acadêmica, Lélia distanciou-se cada vez mais da realidade das mulheres negras de sua faixa etária e origem social. De um lado, ela era tímida e reprimida, mas, de outro, uma estudante que se destacava. Indicações, portanto, de que "aquela pretinha legal" não pararia por ali: iria bem mais longe.

Na segunda metade dos anos 1950, no governo de Juscelino Kubitschek, Brasília foi construída. Em 1960, ocorreu a transferência da capital do país. A cidade do Rio de Janeiro, que continuava crescendo – especialmente com a migração de nordestinos –, de 1960 até 1974 foi transformada em Estado da Guanabara, um dos raros casos de cidade–Estado no século XX.

Quando Lélia concluiu sua formação em Filosofia, o presidente era o gaúcho, trabalhista e populista João Goulart. Uma verdadeira "agitação social", para usar termos da época, marcava um período em que se destacam as chamadas "reformas de base": educacional (combate ao analfabetismo, reforma universitária segundo os auspícios de Darcy Ribeiro, Ministro da Educação, e ampliação do Método Paulo Freire), agrária e urbana, entre outras.

4.

Lélia de Almeida: professora, tradutora e *lady*

A estudante Lélia foi também se profissionalizando como professora. Em seu currículo, consta vasta atividade docente (Viana, 2006, p. 56):

- Colégio Piedade (1962)
- Colégios Andrews (1963)
- Colégio Santo Inácio (1968)
- Colégio de Aplicação da Universidade Estadual da Guanabara (1963)
- Instituto de Educação e Centro de Estudo de Pessoal do Exército Brasileiro, no Forte de Duque de Caxias (1967-1968)

As disciplinas que Lélia lecionava eram: filosofia, história da educação e história moderna e contemporânea. Logo após a segunda graduação, ela começa a trabalhar como professora universitária, dando aulas em instituições públicas e privadas:

> A carreira docente de Lélia começou no ensino superior, precisamente em 1963, nas Faculdades de Filosofia de Campo Grande (Feuc) e Filosofia, Ciências e Letras da UEG, mas sua atuação ganhou maior destaque na Universidade Gama Filho e nas Faculdades Integradas Estácio de Sá, na qual exerceria as funções de coordenadora do Departamento de Estudos e Pesquisas do Centro Cultural (1973-1974), vice-diretora da Faculdade de Comunicação (1973-1974) e diretora de Departamento de Comunicação (1974-1975). (Viana, 2006, p. 54)

Sobre essa atividade de educadora, Ana Felippe (2009, p. 8) escreveu:

> Pela inteligência e conhecimento que demonstrava na argumentação e por sua capacidade de comunicar e instigar alunos e alunas à reflexão, a professora negra foi muito bem recebida em escolas confessionais, tendo sido, também, professora convidada no Centro de Estudos de Pessoal do Exército Brasileiro por alguns anos.

Consultando entrevistas da própria Lélia, podemos concluir que sua aceitação em escolas religiosas ou militares se dava pela mescla entre a estudante/professora que se conformava aos padrões de comportamento e, ao mesmo tempo, aquela que se sobressaía nos estudos, reflexões e argumentações.

Em uma das fotos do acervo pessoal de Ana Felippe, relativa à sua formatura no Colégio Estadual Professor Clóvis Monteiro, no subúrbio de Manguinhos, a professora Lélia de Almeida, peruca lisa e penteada para trás, aparece no retrato usando um vestido claro, na altura do joelho, decote discreto. Na mão esquerda, bolsa e luvas. Nos pés, sapato de salto médio. Suas alunas vestem blusas de mangas curtas e saias também na altura do joelho. Quase todas as jovens estudantes, brancas ou negras, estas últimas em minoria, apresentam-se com perucas ou penteados lisos ou alisados.

Fonte: Acervo pessoal de Ana Felippe.

No jogo das relações raciais brasileiras, a textura do cabelo é um indicador do pertencimento etnorracial. Nesse sentido, no processo de desqualificação social de pessoas negras, existe certa pressão sobre mulheres e homens para que "controlem" os cabelos crespos e/ou volumosos. Com Lélia não foi diferente:

> O cara dá um jeito assim... passa um creme rinse, fica mais claro, dá uma esticada no cabelo, tudo bem... E eu não quero dizer que eu não passei por isso, porque eu usava peruca, esticava o cabelo, gostava de andar vestida como uma *lady*. (Pereira e Hollanda, 1979, p. 203)

O cabelo – com outros elementos, como o vestuário – compõe a corporeidade pessoal em suas múltiplas leituras no espaço público e privado. Nesse sentido, apesar da divulgação, nos anos 1960, de penteados afro ou *black power*, especialmente seguindo uma moda americana, muitas mulheres negras usaram os mesmos artifícios para que o cabelo, "sinal mais tangível da sua feminilidade" (Perrot, 1998, p. 138), ficasse ou parecesse liso, no máximo com algumas ondulações. As garotas-propaganda que apareceram na televisão nos anos 1950, por exemplo, eram brancas e usavam penteados e vestidos "comportados".

Se o corpo da mulher negra é público, como Lélia Gonzalez diria anos depois, o que esperar da professora negra que está na escola e, especialmente, na sala de aula, diante dos olhares de gestores, colegas e estudantes?

Além de lecionar filosofia, Lélia estava fazendo incursões pela área da comunicação. Assim, abriu outros campos de trabalho. Entre 1966 e 1970, traduziu do francês para o português três livros que foram utilizados em cursos de filosofia em todo o país, conforme enumera Viana (2006, p. 51): *Curso moderno de filosofia* (1966); *Compêndio moderno de filosofia* (1968); e *História dos filósofos ilustrada pelos textos* (1970).

A atividade de tradutora indica sua fluência na língua francesa e também chama atenção para o seu interesse em filosofia. Ainda que ela tenha dado continuidade a um processo de afastamento de esferas populares e negras, mais uma vez a professora se destacou entre seus pares, e não somente por traduzir livros que seriam reeditados e permaneceriam em catálogo durante muitos anos.

Um detalhe importante é que tudo isso ocorreu nos primeiros tempos da ditadura militar. O golpe de 1º de abril de 1964, que na época foi proclamado como "Revolução de 31 de Março", teve, segundo Almeida e Weis (2007), uma primeira fase, que durou até 1968. Nesse período, após uma perseguição inicial a lideranças políticas, houve relativa liberdade de movimento para os opositores do regime. Para o segmento resistente de classe média, foi criado "um circuito denso e ativo, que incluía a atuação na imprensa, na área cultural, especialmente em teatro e música, nas escolas e universidades" (idem, p. 328-9). Vale lembrar que foi nessa época que Lélia ministrou aulas no Centro de Estudo de Pessoal do Exército Brasileiro, no Forte de Duque de Caxias.

Outras mudanças significativas também ocorreram na vida privada e pública de Lélia nesse período. Ela se casou com Luiz Carlos Gonzalez, colega de faculdade de origem espanhola também formado em Filosofia pela Universidade do Estado da Guanabara. Nesse instante, ela parece se tornar uma síntese do "projeto oficial" do Brasil das três raças: pai negro, mãe índia, marido branco. Contudo, não é dessa forma que ela se colocará mais à frente.

A polarização das relações raciais no Brasil entre negros e brancos aparece nítida em sua narrativa do casamento diante da oposição da família de Luiz Carlos:

> Mas quando chegou a hora de casar, eu fui me casar com um cara branco. Pronto, daí aquilo que estava reprimido, todo um processo de internalização de um discurso da "democracia racial" veio à tona, e foi um contato direto com uma realidade muito dura. A família do meu marido achava que o nosso regime matrimonial era, como eu chamo, de "concubinagem", porque mulher negra não se casa legalmente com homem branco; é uma mistura de concubinato com sacanagem, em última instância. Quando eles descobriram que estávamos legalmente casados, aí veio o pau violento em cima de mim; claro que eu me transformei numa "prostituta", numa "negra suja" e coisas desse nível... Mas meu marido foi um cara muito legal, sacou todo o processo de discriminação da família dele, e ficamos juntos até sua morte. (Pereira e Hollanda, 1979, p. 203)

A família de Luiz Carlos provavelmente esperava que ele se casasse com uma jovem de seu *status* social. Apesar da aparente liberdade dos homens, especialmente os brancos de classe média (Bassanezi, 2006), a eles também eram impostas fronteiras para a formalização de suas relações pessoais e afetivas.

Segundo Lélia, foi o marido que, interessado em questões políticas, a despertou para um mundo do qual ela vivia afastada. Ele, no entanto, teve descompassos pessoais e cometeu suicídio. O confronto com a família de Luiz Carlos e a morte deste marcaram a vida de Lélia, que decidiu manter o sobrenome do marido:

> Luiz Carlos foi muito importante na minha vida [...] ele rompeu com a família, ficou do meu lado e começou a questionar a minha falta de identidade comigo mesma. Isso dói [...], por isso eu tenho orgulho de trazer o nome dele. Eu nunca troquei o meu nome, podia estar com o meu nome de solteira, Lélia de Almeida, mas é uma homenagem que eu presto a esse homem branco tão sofrido [...] essa pessoa demonstrou uma solidariedade extraordinária [...] e foi a primeira pessoa a me questionar com relação ao meu próprio branqueamento. (Depoimento extraído de Projeto Perfil – Lélia Gonzalez)

Pode-se dizer que Lélia experimentou uma relativa ascensão social, que ainda não se refletia em ação política. Mas ela conheceria, aos poucos, um processo mais radical de transformação pessoal. A inclusão do sobrenome Gonzalez, que substituiria definitivamente o Almeida, fez parte dessa transformação de Lélia e de sua figura pública.

Ainda na década de 1960, Lélia teve outra perda em sua vida pessoal: em 1967 faleceu sua mãe, mulher que ela, tempos depois, relembrou com carinho:

> Mas enfim: voltei às origens, busquei as minhas raízes e passei a perceber, por exemplo, o papel importantíssimo que minha mãe teve na minha formação. Embora índia e analfabeta, ela tinha uma sacação incrível a respeito da realidade em que nós vivíamos e, sobretudo, em termos de realidade política. E me parece muito importante eu chamar a atenção para essa figura, a figura de minha mãe, porque era

> uma figura do povo, uma mulher lutadora, uma mulher inteligente, com uma capacidade muito grande de percepção das coisas e que passou isso para mim... que a gente não pode estar distanciado desse povo que está aí, senão a gente cai numa espécie de abstracionismo muito grande, ficamos fazendo altas teorias, ficamos falando de abstrações... Enquanto o povo está numa outra, está vendo a realidade de uma outra forma. (Pereira e Hollanda, 1979, p. 203)

Depois de duas perdas pessoais significativas, a professora se inseriu em circuitos sociais e políticos, por meio de reuniões feitas em sua casa ou na de professores, como na de Lincoln Penna[6]. Na segunda fase da ditadura militar, quando se acirraram as perseguições a potenciais opositores do regime, os arquivos do Departamento de Ordem e Política Social (Dops) registram, conforme Barreto (2005, p. 24), as seguintes atividades "políticas" de Lélia:

> As informações sobre Lélia aparecem pela primeira vez nos fichários do Dops em 1972, quando era professora de filosofia na Universidade Gama Filho. Nessa ocasião, foi solicitada a averiguação sobre seu possível envolvimento no "recrutamento de adeptos à doutrina marxista" na citada universidade. No entanto, nada foi comprovado após a investigação. Com base nos depoimentos recolhidos para

6. Lincoln de Abreu Penna, militante comunista, foi presidente do Diretório Central dos Estudantes da UGF e graduou-se em História naquela instituição no ano de 1968. Hoje, é professor titular do Programa de Pós-Graduação em História do Brasil da Universidade Salgado de Oliveira.

a pesquisa, pressuponho que o recrutamento teria alguma relação com a prática de reuniões na casa de Lélia para discussões filosóficas.

Ao que Viana (2006, p. 55) acrescenta:

> Devido a sua atuação intelectual, Lélia, em 1972, já chamava atenção dos órgãos de segurança, pois estaria, segundo informações, "desenvolvendo trabalho de massa na UGF, buscando recrutamento de adeptos à doutrina marxista, juntamente com o Professor Lincoln Penna".[7]

Para utilizar os termos da época, o estudante e professor era um agitador, ao passo que Lélia de Almeida, aos 37 anos, estava começando seu processo de insurgência.

Ao escolher o sobrenome Gonzalez como marca de seu ingresso numa nova concepção de mundo, no qual o racismo se tornou um componente fundamental para seu autoconhecimento e sua compreensão da realidade, a professora nos mostra os caminhos doloridos que fizeram Lélia de Almeida, "a pretinha legal e a *lady*", sair de cena para dar espaço à intelectual ativista.

---

7. Com base no seguinte documento consultado pela autora: Prontuário n. 19330, setor "COMUNISMO", pasta 112, fl. 210.

5.

Transando a cabeça: cultura, psicanálise e linguagem

O confronto com a família de Luiz Carlos Gonzalez e, posteriormente, o seu suicídio, deflagraram em Lélia, segundo ela mesma, um franco processo de busca e reconstrução pessoal identitária. No final dos anos 1960, ela se casou novamente, dessa vez com Vicente Marota, definido por ela como "mulato":

> Depois dessa experiência traumática que eu tive com a família do Luiz Carlos e com o seu suicídio, houve o meu segundo casamento. Eu me casei com um mulato – pai branco e mãe negra –, como se diz na Bahia, um tinta fraca. Ele tinha uma ideologia de classe, não gostava de preto... nós ficamos juntos durante cinco anos, era engraçado, porque, enquanto eu estava em busca de mim mesma, ele procurava fugir de si próprio, apesar de a gente se gostar muito, a relação da gente não estava combinando. A gente se separou e minha cabeça dançou, afinal eu fui casada com um cara branco, de origem espanhola, que

dava todo apoio à questão racial, e quando eu caso com um cara de origem negra, ele não tem essa solidariedade, ele disfarçava esse lado. Eu fui parar no psicanalista. (*O Pasquim*, 1986, p. 10)

Lélia interpretou as atitudes do segundo marido por meio de marcadores corpóreos que indicam pertencimento racial, a exemplo do cabelo alisado, componente que seria importante na sua reconstrução pessoal:

> Depois veio o segundo casamento, com um mulato que hoje é branco, transou uma esticada nos cabelos etc. e tal e, aí, é visto como um cara branco. Hoje todo mundo olha para ele... porque a percepção da questão da ascendência racial é altamente disfarçada, né? (Pereira e Hollanda, 1979, p. 203)

Em 1979, sendo a única pessoa negra entrevistada para o livro *Patrulhas ideológicas*, que continha depoimentos de artistas, intelectuais e militantes, Lélia rememorou e conjugou sua busca da psicanálise e da cultura negra, especialmente do candomblé. Isso aconteceu após sua "tomada de consciência" racial e de gênero e diante da crítica aos circuitos que pertencia:

> Tive que parar num analista, fazer análise etc. e tal, e a análise neste sentido me ajudou muito. A partir daí fui transar meu povo mesmo, ou seja, fui transar candomblé, macumba, essas coisas que eu achava que eram primitivas. Manifestações culturais que eu, afinal de contas, com

uma formação em filosofia, transando uma forma cultural ocidental tão sofisticada, claro que não podia olhar como coisas importantes. Mas enfim, voltei às origens, busquei as minhas raízes [...]. (idem)

Nesse momento de sua trajetória, como ela própria reiterou em entrevistas e artigos, Lélia aproximou-se da psicanálise, que se tornaria mais uma de suas áreas de formação:

> Meu lance na psicanálise foi muito interessante, a psicanálise me chamou a atenção para meus próprios mecanismos de racionalização, de esquecimento, de recalcamento etc. Foi inclusive a psicanálise que me ajudou neste processo de descobrimento da minha negritude. [...] Comecei fazendo análise com Carlos Byington, que é jungiano [*sic*]. (*O Pasquim*, 1986, p. 10)

Em 1975, junto com Magno Machado Dias (mais conhecido como MD Magno) e Betty Milan, discípulos e analisandos do psicanalista francês Jacques Lacan, ela participou da Fundação do Colégio Freudiano do Rio de Janeiro, que viria a ser um dos principais centros de propagação do pensamento psicanalítico em sua vertente lacaniana no país. MD Magno foi professor das Faculdades Integradas Estácio de Sá entre 1971 e 1975, assim como Lélia Gonzalez entre 1973 e 1975.

A busca pessoal de Lélia e seu encontro com psicanalistas acabaram ecoando na abordagem sobre a cultura feita por esses profissionais ao se voltarem para expressões como umbanda, samba e carnaval, como aponta Betty Milan em entrevista.

Quando indagada se a teoria lacaniana havia sido reinventada no Brasil, ela respondeu:

> Não diria que a teoria foi reinventada, e sim que tivemos de reinventar a prática dos analistas, a prática *senso lato*, para não ficarmos marginalizados. O recurso à imprensa, no fim da década de 1970, é um exemplo disso. Outro exemplo é o trabalho de pesquisa dos analistas nos cultos umbandísticos ou nas escolas de samba. Além de traduzir e ensinar Lacan, nós nos valíamos do nosso conhecimento psicanalítico e da nossa escuta para saber qual era a especificidade da cultura brasileira, o que a diferenciava da cultura europeia e das outras culturas latino-americanas.[8]

Partindo do trabalho desses psicanalistas, especialmente do livro *Améfrica ladina*, de MD Magno, Lélia formulou a ideia de uma América africana ou *Amefricana* (Gonzalez, 1983; 1988), baseada na concepção de que uma das singularidades do continente residia, em grande parte, na participação africana na sua formação cultural e social – e não na reiterada evocação de uma latinidade.

Na segunda metade dos anos 1970, Lélia mergulhou nesse processo de discussão e elaboração pessoal e intelectual, sempre baseada em Lacan. Um dos conceitos abordados por ela foi o de nomeação do sujeito – quando se usam determinados ter-

8. Disponível em: <http://www2.uol.com.br/bettymilan/entrevistas/28-difusao.htm>. Acesso em: 24 jan. 2010.

mos para identificar os indivíduos. Vejamos um exemplo, dado por Lélia, a respeito de mulheres negras oriundas das classes populares que conseguiram ascender socialmente:

> Nesse sentido, vale apontar para um tipo de experiência muito comum. Refiro-me aos vendedores que batem à porta da minha casa e, quando abro, perguntam gentilmente: "A madame está?" Sempre lhes respondo que a madame saiu e, mais uma vez, constato como somos vistas pelo "cordial" brasileiro. Outro tipo de pergunta que se costuma fazer, mas aí em lugares públicos: "Você trabalha na televisão?" ou "Você é artista?" E a gente sabe o que significa esse "trabalho" e essa "arte". (Gonzalez, 1983, p. 228)

Em meados da década de 1970, Lélia Gonzalez se aproximou do candomblé. Por meio de seus textos, no início dos anos 1980, a encontramos inteirada (e inteirando-se) da cosmologia da religião dos orixás. Vejamos o que ela diz no prefácio ao livro de poemas de Abdias Nascimento, *Axés do sangue e da esperança (orikis)*:

> De Exu a Oxalá, em terras africanas ou da diáspora, os orikis/poemas se seguem, cumprindo os procedimentos do ritual nagô/bantu. Em linguagem ocidental, diríamos que este é o modo de estruturação do livro. [...]
>
> No xirê de sua vida, nosso griot canta muitos outros orikis, dançando-os ao ritmo do opanijé, do ijexá, do alujá, do adarrum e tantos outros, ao passar por terras míticas

e/ou reais. Deles aqui não falei, para não ser repetitiva ou por efeitos de minha própria limitação. (Gonzalez, 1983b, p. 7-9)

O candomblé se tornou uma referência poética e imagética para Lélia Gonzalez, presente aqui e acolá nos seus textos, inclusive nos ensaios de caráter mais político. Em *O movimento negro na última década*, ao mencionar a data de criação do Grêmio Recreativo de Arte Negra e Escola de Samba Quilombo, ela relembra: "Oito de dezembro, dia de Oxum, a deusa das águas doces [...]" (Gonzalez, 1982, p. 39). O mesmo se registra na definição da logomarca do coletivo Nzinga, um pássaro amarelo e roxo: "E o pássaro que usamos como símbolo tem a ver com a tradição nagô, segundo a qual a ancestralidade feminina é representada por pássaros. [...] o amarelo de Oxum e o roxo [se relacionam] com o movimento internacional de mulheres" (Gonzalez, 1994, p. 182).

Percebe-se que, para Lélia, o candomblé foi um organizador psíquico pessoal, no qual ela imergiu profundamente. Nos anos finais de sua vida, sem se iniciar na religião, ela estava ligada ao Ilê da Oxum Apará, liderado pelo babalorixá Jair de Ogum, no bairro de Santa Cândida, em Itaguaí, Rio de Janeiro: "E mais: tinha fé em Oxum e Ogum, seus Orixás de cabeça, que retomou como praticante, afirmando que pertencia à egrégora[9] do Ilê da Oxum Apará (onde está seu acervo)" (Felippe, 2003, p. 9).

---

9. Para espiritualistas, força resultante da soma das energias (física, mental, emocional etc.) de duas ou mais pessoas que se reúnem para obter esse efeito (*Dicionário Aulete*).

É, sobretudo, como expressão cultural e pensamento negro diaspórico[10] que a religião dos orixás comparece nas falas e nos escritos de Lélia Gonzalez:

> [...] eu estou muito ligada ao candomblé. Não é misticismo, é outro código cultural, misticismo é uma coisa muito ocidental. O candomblé é uma coisa muito mais ecológica, você faz comida, você faz oferenda, você vai pra floresta, minha religiosidade está muito mais africanizada que ocidentalizada. (*O Pasquim*, 1986, p. 11)

O candomblé, religião africana que se tornou afro-brasileira, foi eleito por uma parte da militância negra como elemento da "bagagem cultural" da diáspora e sinal de africanidade.

Na trajetória de Lélia Gonzalez é habitual mencionar sua atuação no campo da cultura negra a partir de um curso ministrado na Universidade Federal do Rio de Janeiro:

> Em 1976, eu mesma iniciava o primeiro curso de Cultura Negra no Brasil, na Escola de Artes Visuais (no Parque Lage), justamente no momento em que, graças à nova direção, aquela instituição se renovava. Reunindo artistas e intelectuais progressistas, cuja produção implicava numa visão crítica da realidade brasileira, a EAV tornou-se o maior espaço cultural do Rio de Janeiro naquele período (tanto que sua desativação foi determinada a partir de Bra-

10. Pensamento de autores que se consideram negros e refletem essa negritude em determinados momentos de sua obra.

sília no início de 1979, com o afastamento de sua direção). (Gonzalez, 1982, p. 40)

Foi nesse momento que ela passou a se envolver de fato com o movimento negro que se reorganizava no Rio de Janeiro. Segundo entrevista realizada com Milton Barbosa, um dos fundadores do Movimento Negro Unificado, que a conheceu por volta de 1976, foi nessa mesma época que Lélia também se aproximou do movimento negro paulistano.

Por volta de 1974 – período em que a ditadura militar começava a se distender –, o quadro político e cultural fervilhava no que diz respeito à população negra. Essa movimentação repercutiu artística e culturalmente no movimento negro, que então se reorganizava.

No Rio Grande do Sul, o Grupo Palmares, fundado em 1971, fez incursões no campo das artes. Na Bahia, ocorreu a criação do bloco afro Ilê Aiyê, em 1974. Em São Paulo, na capital e no interior, havia uma efervescência do teatro negro amador desde o final dos anos 1960. Depois, desabrocharam a poesia e a literatura negras, com a criação dos *Cadernos Negros* em 1978. No Rio de Janeiro, destaca-se a fundação do Grêmio Recreativo de Arte Negra Escola de Samba Quilombo, em 1975, do qual Lélia Gonzalez participaria posteriormente. Poética e estética negras se reconstruíram naqueles anos.

Após a fundação Ilê Aiyê, outros blocos e afoxés foram criados ou recriados na cidade de Salvador. Sua existência, porém, despertou reações contrárias, como se a formação de um grupo negro implicasse uma espécie de "racismo às avessas".

Acusação que Lélia rebatia dizendo que parecia, então, ser consenso que existia um "racismo às direitas".

No Rio de Janeiro, a criação do Grêmio Recreativo de Arte Negra Escola de Samba Quilombo, pelo sambista Candeia[11] e alguns parceiros, se insere nesse contexto. Tanto Candeia quanto os demais fundadores dessa agremiação eram dissidentes da Portela, mas crescia a crítica à apropriação do samba e das escolas de samba por elementos estranhos à tradição do samba na cidade e, em particular, nas escolas. O manifesto da Quilombo trazia, além de uma proposta de "salvaguarda" da cultura negra ameaçada, uma crítica à intervenção de "artistas plásticos, figurinistas, coreógrafos, departamentos culturais, profissionais" estranhos às comunidades populares do samba (Gonzalez, 1982, p. 39-40).

Os termos do manifesto não eram dirigidos indistintamente a todas as pessoas externas às escolas. A reclamação se voltava contra figuras que alteravam a dinâmica do carnaval carioca, sobretudo do desfile, e, por extensão, das escolas de samba. O manifesto teve origem numa carta dirigida à direção da Portela, assinada por Candeia e mais quatro colegas, que contém críticas e sugestões (Cunha, 2009). No livro *Samba negro, espoliação branca*, de Ana Maria Rodrigues, é possível perceber que esse quadro foi se tornando mais geral nas escolas de samba cariocas. Com isso, o carnaval do Rio se "turistificava" de modo acelerado, ia se alterando sem que as contradições fossem suprimidas.

---

11. Antônio Candeia Filho (1935-1978), ex-policial, compositor, sambista, nascido no subúrbio de Oswaldo Cruz, no Rio de Janeiro, bastante lembrado por intérpretes contemporâneos.

Candeia pode ser considerado um dos intelectuais do samba e das culturas negras por suas composições, pelo horizonte cultural e político que experimentou e propôs e também por ter escrito a esse respeito. Lélia Gonzalez, por sua vez, intelectual reconhecida em circuitos negros, foi escolhida por Candeia para representar a Quilombo no ato público de lançamento do Movimento Unificado Contra a Discriminação Racial, ocorrido em julho de 1978. Candeia faleceu em novembro desse mesmo ano. Logo em seguida, Lélia se envolveu com a elaboração do enredo da escola de samba para o ano seguinte, junto com Nei Lopes e Wilson Moreira. Posteriormente, seria autora do enredo "A Revolta dos Malês" para o Grêmio Recreativo e Bloco Carnavalesco Mocidade dos Guararapes, localizado próximo à sua casa (Viana, 2006, p. 97). Na verdade, eram tentativas de aproximação entre a academia e os circuitos populares de produção cultural.

Além do carnaval, Lélia – que, entre outras disciplinas, também ministrava aulas de cultura popular – estava sempre atenta a várias expressões culturais. Tanto que escreveu o livro *Festas populares no Brasil* (1987), no qual fez uma importante interpretação desses eventos:

> A formação cultural brasileira se fez a partir de um modelo que poderíamos chamar de eurocatólico. Por isso mesmo, nossas festas populares se realizam no espaço simbólico estabelecido por esse modelo. Desse modo, as festas gerais, como Natal, Carnaval, São João e Aleluia, inscrevem-se no calendário fixado pela Igreja, o mesmo ocorrendo com aquelas de caráter mais restrito.

> Todavia, quando as analisamos de perto, verificamos uma espécie de ruptura dos limites impostos pelo modelo dominante. Neste sentido, a intervenção de formas procedentes de outros modelos culturais, africanos e indígenas, torna-se crucial para a compreensão das festas populares brasileiras. (p. 15)

Em vários dos seus artigos Lélia comenta outras expressões culturais conhecidas e vividas no Brasil, sob a influência do movimento internacional de negritude, empreendido por poetas e políticos africanos e caribenhos – com passagem pela Europa –, os quais abordaram a identidade e a emancipação negras na África e na diáspora.

Todo esse processo de mudança contribuiu para a construção da imagem pública de Lélia Gonzalez. Seu crescimento pessoal se deu pela formação intelectual e pela afirmação de uma consciência no tocante à raça e ao gênero. Naquele tempo, pode-se dizer que Lélia passou por um processo de corporificação da consciência negra. Seu corpo demarcava uma nova *persona* pública.

Um dos sinais que mais acentuam essa mudança é o cabelo, usado agora entre cacheado e crespo, volumoso, mais ao natural e, às vezes, no estilo *black power*. Nota-se ainda que Lélia pintava-o com *henna* – produto de cor marrom-avermelhada obtido das folhas e cascas secas de um arbusto originário do norte da África e Índia –, trazida de suas viagens a países do continente africano.

Desde o final da década de 1960 e início da seguinte, várias mulheres negras estadunidenses, africanas e brasileiras, a exemplo de Angela Davis, Alice Walker, Nina Simone, Miriam Makeba e Beatriz Nascimento, passaram a se vestir com as chamadas cores "vivas" ou "quentes" – as mesmas que suas mães e avós tinham sido desestimuladas a usar – e experimentaram vários penteados, das tranças ao cabelo *black power*.

A figura de uma professora universitária com tal postura chamou a atenção de Elizabeth Viana, estudante que viria a se tornar companheira de ativismo de Lélia:

> A primeira vez foi no IFCS [Instituto de Filosofia e Ciências Sociais]. A primeira vez que eu tive a possibilidade de notar Lélia, e ela me notar. [...] E aí eu vinha no corredor, e eu tava indo pra uma aula, acho que era de Ciência Política. Lélia dava Ciência Política e eu cursava Sociologia [...] E aí eu cruzei com Lélia, cabelo vermelho, cabelo caju [...] numa roupa cromo lindíssima, cercada de alunos, claro. E ela vinha saindo e eu passei por ela [...] e aí eu acho que uma menina negra deve ter chamado atenção dela [...] (Entrevista, agosto, 2009)

Afirmação e reconhecimento fazem parte de um jogo de espelhos entre pessoas negras em processo de construção de sua identidade racial. No Rio, Lélia e Beatriz eram duas expoentes dessa movimentação, como continua rememorando Elizabeth:

> Então, [Lélia] era uma mulher que incentivava bastante. Como Beatriz. Não era só a questão de envolvimento com o movimento negro, de organizar o povo negro [...] Ela conseguia fazer você se sentir particular. Onde Beatriz

> me visse, ela falava comigo, ela não esquecia meu nome. Porque, para mim, uma menina que vem lá da Baixada [Fluminense], mulheres como Lélia e Beatriz saberem seu nome e te abraçarem tão afetuosamente, isso mexe muito, isso era uma coisa [pela qual eu] era muito grata. (Entrevista, agosto, 2009)

Em tempos de uma incipiente distensão da ditadura militar, pessoas e coletividades buscavam referências de liberdade: do *reggae* à *soul music*, do samba ao samba-rock, das casas para as faculdades e, daí, para as ruas e pistas de dança, da arte à política. Nos corpos, essa busca se revelava nas roupas, nos cabelos, nos adornos. A cabeça, o corpo e a casa de Lélia Gonzalez foram envolvidos nesse processo de enegrecimento:

> [Em 1974] eu passei a participar dos debates que [ocorriam] no Teatro Opinião, houve uma série de reuniões na minha casa também, e então a questão negra, numa perspectiva política, começou a me interessar. Até então ela me interessava numa perspectiva culturalista, a partir de então eu comecei a desenvolver um trabalho [...]. (*O Pasquim*, 1986, p. 11)

Como vimos, foi nessa época que Lélia se aproximou do movimento negro do Rio de Janeiro, de São Paulo e de Salvador. Nascia ali uma intelectual ativista negra insurgente que fazia o trânsito, ou, tomando emprestado seu modo de falar, a "transa" entre o pessoal, o cultural e o político. Para Lélia Gonzalez, pode-se dizer que a vida recomeçou por volta dos 40 anos.

A MULHER QUE FALAVA *PRETUGUÊS*

A produção textual de Lélia Gonzalez foi intensa entre 1977 e 1988, e pode ser encontrada nos livros *Lugar de negro*, escrito em coautoria com Carlos Hasenbalg, e *Festas populares no Brasil*, e também nos vários artigos publicados em livros, periódicos acadêmicos, jornais e revistas. Essa produção cresceu ainda mais quando Lélia Gonzalez se tornou uma figura pública convidada a escrever e a falar a respeito de temas ligados a negros, mulheres, racismo e sexismo. Aparece aí mais um aspecto de sua transformação pessoal: a liberdade de expressão escrita e falada de uma mulher que, em tempos de escola e formação acadêmica, havia se conformado aos padrões formais de comportamento. Com sua performance pública, ela a um só tempo se inseriu no território discursivo e o construiu.

Praticamente na mesma época em que se envolveu com a psicanálise, Lélia, ao adotar palavras e expressões populares – algumas de origem africana –, passou a usar o *pretuguês* – termo, segundo ela (1982, p. 94), utilizado pelos africanos lusófonos. E insistia nessa diferença no uso da língua:

> Eu gostaria de colocar uma coisa: minoria a gente não é, tá? A cultura brasileira é uma cultura negra por excelência, até o português que falamos aqui é diferente do português de Portugal. Nosso português não é português é "pretuguês". (Pereira e Hollanda, 1980, p. 205-6)

Assim, Lélia agregava gíria e dialeto. A gíria se refere a um conjunto de termos e expressões geralmente vinculadas a determinados grupos sociais que pode transbordar para públicos mais amplos (Preti, 1984). O dialeto, *grosso modo*, é uma variação da língua falada, o que torna o Brasil um país multidialetal em face da composição étnica e racial, urbana e rural, da população.

Assim como no jeito popular de falar, Lélia usava e abusava da economia linguística em seus artigos: *pra* (para), *tava* (estava), *tamos* (estamos), *cumé* (como é). Utilizava expressões como *a gente* em vez de *nós*. Encontramos muitas gírias em seus escritos. Várias delas eram relativas a grupos jovens e passaram a ter uso mais geral: *papo* (conversa), *sacar* (compreender), *mancada* (falta), *lance* (situação). Algumas têm muitos sentidos: "esses *baratos* todos", "o *barato* da ideologia do branqueamento", "deve negro assimilar e reproduzir tudo que é *eurobranco*? Ou só *transar* o que é *afronegro*? Ou somar os dois? Ou ter uma visão crítica de ambos?" Nem é preciso dizer que não era "recomendado" que uma acadêmica de renome se expressasse dessa maneira com tanta frequência.

Na comunicação "Racismo e sexismo na cultura brasileira", apresentada em duas ocasiões para públicos distintos[12], ao enunciar as noções de consciência e memória, ela utilizou os recursos que assinalamos:

> Por isso, *a gente* vai trabalhar com duas noções que ajudarão a *sacar* o que *a gente* pretende caracterizar. *A gente*

12. Em 22 de outubro, na mesa-redonda "A psicanálise e o feminino", no simpósio Psicanálise e Política, realizado na PUC-Rio, e, no final do mesmo mês, no Grupo de Trabalho "Temas e problemas da população negra no Brasil", no IV Encontro Anual da Associação Nacional de Pós-Graduação e Pesquisa em Ciências Sociais (Anpocs), que também aconteceu na cidade do Rio de Janeiro.

> *tá* falando das noções de consciência e de memória. Como consciência *a gente* entende o lugar do desconhecimento, do encobrimento, da alienação, do esquecimento e até do saber. É por aí que o discurso ideológico se faz presente. Já a memória *a gente* considera como o não saber que conhece, esse lugar de inscrições que restituem uma história que não foi escrita, o lugar da emergência da verdade, dessa verdade que se estrutura como ficção. Consciência que exclui o que memória inclui. *Daí*, na medida em que é o lugar da rejeição, consciência se expressa como discurso dominante (ou efeitos desse discurso) numa dada cultura, ocultando memória, mediante a imposição do que ela, consciência, afirma como a verdade. Mas a memória tem suas astúcias, seu *jogo de cintura*; por isso, ela fala através das *mancadas* do discurso da consciência. O que *a gente* vai tentar é *sacar* esse jogo aí, das duas, também chamado de dialética. E no que se refere à gente, à crioulada, *a gente* saca que a consciência faz tudo *pra* nossa história ser esquecida, *tirada de cena*, e apela *pra* tudo nesse sentido. Só que isso *tá* aí... e fala. (1983a, p. 226-7)

Nesse e em alguns outros textos não se pode afirmar que a autora queria ser compreendida com facilidade. Havia neles uma notória postura de irreverência diante de acadêmicos, políticos ou jornalistas. Mas também há artigos publicados em jornais em que ela, fazendo uso de um linguajar mais coloquial, deixou claro o desejo de se comunicar com um público mais amplo – o que pode ser reflexo de uma intensa experiência de contato popular da professora e intelectual Lélia Gonzalez com o Coletivo Nzinga, com mulheres da Baixada Fluminense, com a vizinhança do Morro dos Guararapes e com os variados públicos das campanhas partidárias.

Lélia utilizava palavras da linguagem local e regional que hoje seriam consideradas politicamente incorretas, como *crioulo*, *criouléu* e *crioulada*. Além de certa intenção de chamar a atenção do leitor ou da plateia, pode-se dizer que com esses e outros termos – como *neguinho*, *negada*, *negadinha* – ela pretendia deslocar o sentido das palavras. No Brasil chamamos a pessoa amada de *nego* ou *nega*, mesmo se ela for branca, estendendo-se para uma afetividade possessiva: meu *nego*, minha *nega*. Serão reflexos da escravidão entre nós? Por que não dizemos *meu branco*, *minha branca*? Além disso, o termo *neguinho* é utilizado quando queremos nos referir a qualquer pessoa, homem ou mulher, branca ou negra. E sua aplicação nem sempre é carinhosa, como poderia sugerir o diminutivo.

Os estudiosos da linguagem – linguistas, comunicólogos, psicanalistas, entre outros – voltam-se para as supressões ou substituições de termos para os significados desses atos da fala e da escrita. A troca de um termo por outro, como fazemos ao chamar alguém de *moreno ou morena*, em vez de *negro* ou *negra*, é um ato comunicacional de grande importância. Basta lembrarmos que na música popular brasileira existem inúmeras canções elogiando a *morena* e o *moreno*, e poucas que ressaltam a *negra* e o *negro*.

Nas entrevistas e publicações registradas entre 1991 e 1994, Lélia Gonzalez fez pouco uso da linguagem coloquial. Tal postura coincide com um tempo em que ela estava mais reflexiva, o que não significa que estivesse arrefecendo os ânimos. É necessário observar que, em artigos publicados numa fase anterior, ela quase não se expressou no seu *pretuguês*, como vemos em *A mulher negra na sociedade brasileira* (1982), *A categoria político-cultural de amefricanidade* (1988a) e *Nanny* (1988c).

No entanto, a professora, intelectual e ativista seguiu com sua retórica sempre notada por seus ouvintes e leitores, e passou a figurar como exemplo da voz feminina negra.

6. De negros em movimento ao movimento negro contemporâneo

Além de atuar diretamente na formação, consolidação e difusão do movimento negro, que reapareceu no Brasil no final dos anos 1970, em pleno regime militar, Lélia Gonzalez analisou e interpretou sua formação. Em seus textos, ela se refere a esse período de ditadura como os tempos de "silenciamento, a ferro e fogo, dos setores populares e de sua representação política" (1982, p. 11).

Mesmo sob repressão, várias organizações, entidades e redes de ativismo se fortaleciam em diferentes partes do país. Em São Paulo, por exemplo, havia o Centro de Cultura e Arte Negra, o Cecan, que, de certo modo, herdou a experiência teatral cultivada no seio da militância antirracista, particularmente a que foi desenvolvida pelo Teatro Experimental do Negro durante os anos 1940 e 1950. Em Salvador, o bloco afro Ilê Aiyê desde a sua fundação questionava o mito da democracia racial, e, por conta disso, era alvo de reprovações e até mesmo de ameaças de vários setores da sociedade. No Rio Grande do Sul, desde

1971 discutia-se o fortalecimento do dia 20 de novembro como Dia Nacional da Consciência Negra, entre outros temas. O Brasil começava a produzir, assim, ações coletivas críticas à visão hegemônica de harmonia racial.

Também vale ressaltar o surgimento de diferentes lugares negros de lazer, além dos que foram criados em reação à discriminação racial sofrida em bailes, festas e casas noturnas. Isso tudo porque, desde a abolição da escravatura, ocorrida em 1888, não havia no país leis contra a discriminação racial. Práticas sistemáticas de rejeição aos negros aconteciam no mercado de trabalho, em espaços públicos e em locais destinados ao lazer. Muitas associações recreativas se transformaram em espaços políticos e de proteção social. Algumas perduraram por décadas; outras, porém, nasciam e, devido à escassez ou ausência de recursos, logo desapareciam.

Na realidade, por haver uma vasta e diversificada cultura de sociabilidade negra espalhada pelo país, quando o movimento negro voltou a se fortalecer, na década de 1970, já existiam muitas associações, organizações e clubes negros ativos e com fins diversos, tanto nos setores populares quanto entre as camadas que viviam o processo de ascensão social. Esses espaços eram mananciais de símbolos culturais necessários ao fortalecimento da identidade negra que combatia o ideário nacional que pregava a mistura das raças como modelo de civilização nos trópicos.

No Rio de Janeiro, essa realidade não era diferente. Ao contrário. A capital fluminense, cidade em que Lélia residia e atuava mais cotidianamente, tinha sido uma das principais fontes de mobilização negra contra a discriminação, servindo, inclusive, de referência para o restante do país. Ali, a resistência durante os "anos de chumbo" vinha desde os bailes *black* da década de 1970, que garantiam o lazer da juventude negra carioca e, ao mesmo tempo, serviam de espaço de construção identitária, uma vez que imagens, músicas e ritmos difundiam o orgulho negro. Na voz de James Brown: "Diga bem alto: sou negro e tenho orgulho".

Dos clubes com essa característica, o Renascença, fundado em 1951, foi um dos que marcaram época com as noites do Shaft, em que as músicas de astros negros – como Stevie Wonder, Ray Charles, Barry White e James Brown – "traduziam o sentimento de uma alma negra" (Giacomini, 2006, p. 203).

Especialmente nas metrópoles do Sudeste, a *soul music* animou a juventude negra e influenciou consideravelmente a formação do movimento negro. Mas também recebeu muitas críticas da sociedade, que acreditava ser essa uma forma de importação de cultura enlatada. Lélia Gonzalez comungava da mesma opinião pública nacional e acrescentava a ela o argumento da esquerda, para quem esses bailes dos anos 1970 não passavam de uma forma de alienação, de onde não poderia sair nenhuma expressão de crítica social, sequer mobilização coletiva. Em entrevista publicada no livro *Patrulhas ideológicas* (Pereira e Hollanda, 1979, p. 209), Gonzalez desabafa sobre a imagem que tinha da juventude: "Então eu pensava que o Black Rio era uma alienação... esses crioulos aqui querendo imitar os crioulos americanos".

Porém, sua opinião mudaria consideravelmente no final daquela década. Depois de muitas reflexões e conversas com ativistas do movimento negro – que, além de frequentadores, acreditavam que esses espaços também eram locais de resistência cultural e, portanto, de recrutamento de possíveis militantes –, Lélia abriu mão de seus preconceitos e apresentou a relação entre os espaços de lazer e a construção da ação política negra da seguinte maneira:

> Interessante notar que o *soul* foi um dos berços do movimento negro do Rio, uma vez que a moçada que ia aos bailes não era apenas constituída de trabalhadores, mas de estudantes secundários e universitários também. O fato é que a negrada jovem da Zona Norte e da Zona Sul começou a se cruzar nesses bailes, que reuniam milhares de pessoas, todas negras. (1982a, p. 32-3)

Era berço do movimento negro porque a *soul music* havia conquistado a indústria fonográfica, e o mundo inteiro se apaixonava pelas melodias que animavam os bailes em diversos cantos do planeta, divulgando e afirmando uma experiência negra específica, e, ao mesmo tempo, universal. Não foi por acaso que os negros da diáspora se identificaram com esse tipo de música. Por outro lado, o movimento negro norte-americano colhia alguns frutos da luta pelos direitos civis, que crescera substantivamente entre os anos 1950 e 1960, levando à derrocada das leis segregacionistas. Entretanto, a comunidade negra ainda lamentava a morte de dois grandes líderes: Malcolm X e Martin Luther King, ambos brutalmente assassinados por ousar radicalizar a luta pela igualdade entre negros e brancos nos Estados Unidos – fosse pela defesa incontestável da paz por meio de protestos pacifistas, fosse pela via armada – para reagir aos ataques das organizações criminosas em defesa do poder branco. Ou ainda: contra as ameaças de civis armados, que estavam descontentes com o avanço da liberdade e com a circulação e o ingresso de afro-americanos em espaços e instituições públicas em todo o país. Do ponto de vista das organizações políticas, os Panteras Negras figuravam, naquele período, como resistência local e irradiavam para o mundo símbolos de negritude afro-americana. Do ponto de vista da ideologia política, com o lema "poder para o povo", emaranhavam-se aos penteados *black power*.

Símbolos culturais que mesclavam ideias estéticas, musicais e políticas fizeram a cabeça da moçada carioca e chegaram mesmo a ser vistos pela ditadura como grande ameaça à ordem nacional: "Vale notar que a reação do 'grande público', em face do *soul*, foi de surpresa e temor (mas a polícia sempre estava lá para garantir a ordem)" (Gonzalez, 1982a, p. 33). Tal receio era causado tanto pela grande concentração de jovens negros nos espaços de lazer quanto pelas ideias difundidas nos bailes: acreditava-se que naqueles ambientes poderiam surgir o ódio e os conflitos raciais.

O controle da ditadura e o medo das elites civis encontravam respaldo na desconfiança de que afirmação etnorracial poderia ruir o discurso nacional que pregava a mistura das raças como o grande valor democrático brasileiro.

O movimento *soul* compartilhou os anos 1970 com as associações negras emergentes. Naquela década, o Rio de Janeiro viu a formação de várias organizações e grupos de estudos que discutiam a situação dos negros na sociedade brasileira. No início, a Universidade Cândido Mendes abrigou os primeiros grupos de ativistas e estudiosos das relações raciais; posteriormente, essa articulação se dividiu, dando origem à Sociedade de Intercâmbio Brasil-África (Sinba), ao Instituto de Pesquisa das Culturas Negras (IPCN) e ao Centro de Estudos de Afro-Asiáticos (Ceaa) – este pertencente à Cândido Mendes. Embora inserida em todos esses grupos, Lélia Gonzalez atuou mais no IPCN. Lá, encontrou muita afinidade ideológica com o grupo do fotógrafo Januário Garcia – que, aliás, foi um dos responsáveis pelos registros mais belos dos protestos negros cariocas dos anos de abertura democrática.

Boa parte dessas associações cariocas, em conjunto com alguns clubes negros, assinaram o manifesto do Movimento Negro Unificado Contra a Discriminação Racial (MNUCDR)[13], lido publicamente em frente ao Teatro Municipal de São Paulo em 1978. Lélia, com Abdias Nascimento e Elisa Larkin Nascimento, compareceu ao ato público. Relembrando os bastidores da viagem, Elisa (2004, p. 2) comenta:

> Não esqueço nunca o dia 7 de julho de 1978: nossa ida a São Paulo para participar do ato público de denúncia contra o racismo nas escadarias do Teatro Municipal que daria início ao processo de fundação e organização do MNU. Da casa de Lélia, saímos de carro para o aeroporto Santos Dumont, e começou a dar problema no motor... morria, parava, conseguia andar de novo, até que parou outra vez e Lélia, decidida, falou "Deixa esse calhambeque aí e vamos nessa!" Pegamos um táxi para a ponte aérea, e o resto é história.

---

13. Posteriormente denominado Movimento Negro Unificado (MNU).

Abdias Nascimento – que na época já era um ativista conhecido no mundo inteiro por sua luta antirracista – também guarda boas lembranças daquela atividade política que se tornou o grande marco de ruptura do movimento negro brasileiro, sobretudo porque se iniciava ali uma mobilização nacional subsidiada por várias organizações, reunindo ativistas vindos de várias partes do país. Mais do que realizar o primeiro ato público do MNUCDR, o ilustre militante comenta também o processo de expansão do Movimento nos estados brasileiros, atividade em que Lélia esteve envolvida diretamente:

> O ato público nas escadarias do Teatro Municipal de São Paulo foi um momento inesquecível, ainda em pleno regime militar. Na Bahia, no Rio de Janeiro, em Belo Horizonte e em São Paulo, participamos de reuniões de consolidação do movimento, sempre com a presença da saudosa irmã Lélia Gonzalez. Foi ao mesmo tempo o início e um momento culminante, pois a fundação do MNU deu expressão a toda uma nova militância negra, que vinha se firmando através da década de 1970. (Nascimento e Nascimento, 2000, p. 219)

Lélia Gonzalez também deixou suas impressões pessoais sobre o protesto realizado em São Paulo. Para ela, o momento de maior comoção foi a leitura do manifesto do MNUCDR, feita por um senhor já idoso, que "mal conseguia ler em voz alta o documento", uma vez que fora tomado por grande emoção e "as lágrimas o impediam de fazê-lo". Essa imagem foi inesquecível: "Marcou-me fundo o seu gesto de enxugá-las na manga do paletó, passando o braço nos olhos..." (Gonzalez, 1982a, p. 51).

Não faltou sensibilidade, força, nem dedicação a esses ativistas – que dispensaram tempo e recursos pessoais em defesa daquilo que acreditavam. Questionar publicamente fortes alicerces da nacionalidade brasileira, estar sujeito à repressão policial e sob os olhares dos agentes secretos do Dops foi, sem dúvida, uma experiência que marcou profundamente a trajetória dos ativistas que participaram daquele evento.

Entre 1978 e o início da década seguinte, Lélia Gonzalez atuou fortemente na consolidação e ampliação do MNU. Assumiu o cargo de diretora executiva na primeira eleição da Assembleia Nacional do Movimento Negro Unificado, ainda em 1978. Dali em diante, trabalhou na articulação e, em especial, na formação política dos ativistas, por meio de palestras, cursos, reuniões e produção de textos, que eram divulgados em diferentes espaços e, sobretudo, na imprensa negra, em particular no jornal do MNU.

Em 1991, em entrevista concedida a Jônatas Conceição – poeta baiano integrante do Movimento Negro Unificado e do bloco afro Ilê Ayê –, Lélia fez uma avaliação do alcance do movimento: "Eu acho que a contribuição [do MNU] foi muito positiva, no sentido de que nós conseguimos sensibilizar a sociedade como um todo, levamos a questão negra para o conjunto da sociedade brasileira" (*Jornal do MNU*, 1991, p. 9). Podemos dizer que o movimento negro contribui para ampliar o espectro cultural e político dos brasileiros.

OS PROTESTOS NEGROS

"A Liberdade que sei é uma menina sem jeito [...]"
Em maio, Oswaldo de Camargo, 1987

"Eu trago quilombos e vozes bravias dentro de mim."
Linhagem, Carlos Assunção, 1998

A experiência do manifesto nas escadarias do Teatro Municipal de São Paulo, da qual Lélia participou, foi emblemática para o novo tipo de ativismo negro que se criava no Brasil. Daquele momento em diante, as ruas das grandes capitais do país foram gradativamente se transformando em espaço de marchas, passeatas, caminhadas e atos públicos contra o racismo em uma nação que construíra sua autoimagem negando a existência do preconceito racial. Mais do que protestos verbais – divulgados na imprensa negra e em jornais de grande circulação – ou agrupamentos político-sociais em entidades negras, as manifestações passaram a acontecer com maior frequência nas avenidas e em outros locais públicos, almejando a visibilidade do movimento e o diálogo com a opinião pública (Rios, 2008).

De modo que o ativismo de Lélia Gonzalez, bem como dos demais militantes de sua época, não se resumia a atividades restritas em organizações civis. Ser militante naquele tempo era, sobretudo, agir em espaços abertos de enfrentamento político, o que implicava a exposição das grandes lideranças, que foram observadas com atenção pela polícia secreta do período militar. Inevitavelmente, tais ações colocavam tais lideranças na condição de subversivas.

Lélia Gonzalez era uma mulher subversiva, ao menos na avaliação daqueles que a espionavam em atos públicos e nos encontros de articulação política. Em 30 de outubro de 1978, ela foi registrada pelo Departamento da Ordem Política e Social, junto com Abdias Nascimento. Pelo fato de ter longa experiência no movimento negro – que, por sua vez, era acompanhado pelo Dops desde os anos de 1940 (Kössling, 2007) –, Abdias já havia recebido um dossiê próprio nos arquivos de investigação do Departamento de Segurança do Estado do Rio de Janeiro. No mesmo documento em que foi registrado seu encontro com Lélia Gonzalez, os agentes da polícia secreta fizeram referência ao envolvimento de Abdias com o Teatro Experimental do Negro, com destaque para a sua relação com "artistas, radialistas e músicos".

Lélia, no entanto, ainda não tinha um dossiê próprio. E foi a partir daquele momento que o setor de investigações especiais passou a acompanhá-la mais de perto, destinando uma pasta para registrar o seu perfil político. Antes de 1978, o nome de Lélia só fora visto "juntamente com o professor Lincoln Penna", com quem supostamente estaria "desenvolvendo trabalhos de recrutamento de adeptos à doutrina marxista". O nome dela surgiria outra vez nos arquivos do Dops no final da década, precisamente quatro meses depois do ato de fundação do MNU. Desde então, Lélia Gonzalez passou a aparecer com certa regularidade nas investigações das atividades do movimento negro, das feministas e, especialmente, das organizações partidárias.

Com esse perfil de ativista, nos registros da Secretaria de Estado de Segurança Pública o nome Lélia Gonzalez aparece quase sempre no campo intitulado "subversão", no qual estão anotadas as atividades políticas consideradas contestatórias da ordem social. Para os militares daquela época, Lélia e os demais ativistas negros afrontavam a lei de segurança de 29 de setembro de 1969, que, entre outras coisas, considerava crime "incitar à subversão" e criar animosidades que levassem "ao ódio ou à discriminação racial". Em tempos de ditadura, qualquer denúncia de racismo era recebida como tentativa de criar sentimentos antinacionais. Falar de racismo significava dar vida àquilo que "não existia" na sociedade brasileira. Na visão oficial, não havia grupos raciais, desigualdades entre negros e brancos e discriminação, tampouco preconceito. Para os generais que comandavam a nação, nada disso fazia parte da nossa realidade.

Embora a ditadura militar fosse contrária ao movimento negro, essa visão política existia desde a década de 1930, tanto no discurso oficial das elites políticas quanto dos intelectuais engajados na construção de um sentimento nacional. A tão festejada democracia racial, que apregoava não existir preconceito contra negros no Brasil, era amplamente difundida em nosso país, apontado como um paraíso "de" e "para" todas as raças, sobretudo se comparado com os Estados Unidos e com alguns países africanos que chegaram a ter leis de segregação racial, como o Zimbábue e a África do Sul.

E era exatamente contra esse discurso da democracia racial brasileira que se colocava o movimento negro. Os ativistas passaram a questioná-lo, apontando e denunciando suas incoerências, uma vez que os negros não apenas tinham as piores condições de vida, mas também eram sistematicamente discriminados – inclusive perseguidos e mortos – durante o regime militar. Evidentemente, o governo não podia admitir esse tipo de manifestação social, nem sequer a difusão dessas ideias sobre preconceito racial; isso seria o mesmo que desmentir o discurso oficial do Estado, como explica Guimarães (2001, p. 62):

> Nos anos de ditadura militar, entre 1968 e 1978, a "democracia racial" passou a ser um dogma, uma espécie de ideologia do Estado brasileiro. Ora, a redução do antirracismo ao antirracialismo, e sua utilização para negar os fatos de discriminação e as desigualdades raciais, crescentes no país, acabaram por formar uma ideologia racista, ou seja, uma justificativa da ordem discriminatória e das desigualdades raciais realmente existentes.

Lélia Gonzalez, outros intelectuais negros e alguns intelectuais brancos, como Florestan Fernandes e Carlos Hasenbalg, que eram radicalmente contrários a esse discurso do Estado, produziram diversos textos nos quais apresentavam a realidade social e econômica do país no que se refere à população negra.

Florestan Fernandes – intelectual muito apreciado por Lélia Gonzalez e que gozava de bastante prestígio no seio de boa parte daquela geração de ativistas – questionava e denunciava, desde os anos 1950, a democracia racial como ideologia social, sem vazão para uma igualdade concreta das condições de vida dos negros brasileiros. Para o autor, estes eram privados de uma real integração na vida moderna do país devido à persistência do preconceito de cor na sociedade.

O sociólogo argentino Carlos Hasenbalg conviveu mais diretamente com os ativistas e intelectuais negros cariocas que ajudaram a forjar o movimento negro contemporâneo. Seu livro *Discriminação e desigualdades raciais no Brasil* (1979)[14], que estabeleceu um divisor de águas nos estudos de relações raciais no país, foi dedicado aos militantes que atuavam naquela época, particularmente à historiadora Beatriz Nascimento.

Portanto, não foi por acaso que Lélia Gonzalez ressaltou em diversas ocasiões a importância desses estudiosos para sustentar as ações do movimento negro. Em parceria com Carlos Hasenbalg, escreveu o livro *Lugar de negro* (1982), no qual trabalha o contexto, os objetivos e as causas de formação do movimento negro. Já Hasenbalg discorre sobre os estudos de relações raciais nos Estados Unidos e no Brasil. No final da obra, há um estudo sobre a representação do negro na publicidade.

Além de escrever e debater com a academia, os intelectuais negros também protestaram nas ruas contra o discurso oficial do Estado. Sabiam que aquele não era o momento de apenas escrever ou falar, mas, sobretudo, de dar visibilidade às reivindicações negras. Assim, a partir de 1978 e durante to-

---

14. Nesse livro, Hasenbalg demonstrou que as desigualdades entre brancos e não brancos eram visíveis na estratificação social brasileira e que a explicação desse fato não poderia ser atribuída apenas à herança escravista, como parecia sugerir a tese de Fernandes em *A integração do negro na sociedade de classes* (1964). Defendia o autor que as formas de discriminação e preconceito raciais se atualizavam no desenvolvimento do capitalismo brasileiro, isto é, faziam parte do cotidiano da sociedade da época.

da a década seguinte, o Brasil experimentou uma onda de protestos negros.

No período de redemocratização, entre 1978 e 1985, ruas e praças das grandes capitais brasileiras serviram de palco para manifestações cada vez mais constantes: pela anistia – na qual Lélia também se envolveu –, pelas eleições diretas e também por outras reivindicações estudantis e populares. No caso específico do movimento negro do Rio de Janeiro, os ativistas promoveram diversas ações de rua, principalmente em maio, quando, no calendário oficial, era comemorada a abolição da escravatura.

Para dar novo significado a essa data, ativistas negros, que protestavam contra a simbologia da chamada Lei Áurea, passaram a comemorar o dia de denúncia da discriminação racial. Em paralelo, buscou-se uma data alternativa que fizesse jus à luta negra contra a escravatura e também contribuísse para o fortalecimento do movimento negro contemporâneo. Era preciso buscar no passado figuras de referência, até mesmo heróis, para marcar o protagonismo negro na luta por liberdade. Incoerente, na opinião dos ativistas, era manter a princesa Isabel como heroína da libertação negra. Uma dessas pessoas era Zumbi, o último grande líder do Quilombo dos Palmares. A partir de uma iniciativa do Grupo Palmares de Porto Alegre, Rio Grande do Sul, formado no início da década de 1970, com a liderança inconteste do falecido poeta Oliveira Silveira, o dia 20 de novembro[15] passou a ser o Dia Nacional da Consciência Negra. Lélia Gonzalez foi uma das lideranças negras que se empenhou nesse processo.

---

15. Data em que Zumbi foi morto por seus captores, o que ocorreu no ano de 1695.

Ao longo dos anos 1980, a imagem do guerreiro do Quilombo dos Palmares foi construída nacionalmente para que ele fosse reconhecido como o personagem histórico de maior relevância na luta pela liberdade da raça negra. Para isso, foram realizadas inúmeras viagens de ativistas negros com o propósito de erigir – na Serra da Barriga, na cidade de União dos Palmares, distante cem quilômetros de Maceió (AL) – o Parque Memorial Zumbi dos Palmares. As peregrinações contavam com entidades negras, intelectuais ligados ao movimento e também sacerdotes do candomblé. Tiveram início em agosto de 1980 e se estenderam pelos anos seguintes do processo de redemocratização. Essas caminhadas fizeram com que União dos Palmares se tornasse uma espécie de "meca dos movimentos negros e democráticos" (Rufino, 1994, p. 67). Lélia Gonzalez, como membro da comissão executiva, atuou diretamente no projeto de construção desse memorial.

Em paralelo às marchas até a Serra da Barriga, as passeatas de protesto no dia 13 de maio de 1988, cujo objetivo era negar a imagem da princesa imperial como "redentora", culminaram com as marchas contra as comemorações do centenário da abolição da escravatura. A riqueza dessa luta simbólica em torno da legitimação de Zumbi em detrimento da princesa Isabel foi encenada e cantada por blocos afro e escolas de samba em todo o Brasil. Além disso, recebeu dos poetas negros metáforas preciosas.

Muitos analistas perceberam os impactos do contexto do centenário para a vida política nacional, sobretudo no que se refere à intervenção contundente do movimento negro. Durante as comemorações do dia 13 de maio, Lilia Schwarcz

(1990) percorreu diversos eventos em São Paulo e percebeu que muitas dessas atividades públicas tinham caráter oficial, enquanto outras eram realizadas em espaços institucionais como universidades, bibliotecas e museus. Em sua narrativa, nota-se que houve uma grande mobilização do Estado e instituições públicas para promover reflexões acerca do centenário da Abolição, ainda que organizações negras tivessem feito suas próprias críticas e reflexões a essa data comemorativa, desde os oitenta ou noventa anos da abolição.

Outros autores analisaram os protestos negros durante as comemorações do centenário, baseados em reportagens feitas por jornalistas brasileiros. Jacob Gorender foi um dos que, por meio do que foi publicado na imprensa, "cobriram" as marchas negras no dia 13 de maio. No livro *A escravidão reabilitada* (1991, p. 5), ele tece o seguinte comentário: "De passeatas de rua a congressos acadêmicos, os eventos relacionados com a data se salientaram pela tônica da negação: *não houve Abolição*. Em vez de festejo, repúdio".

Na mesma obra, ao narrar acontecimentos em diferentes partes do país (São Paulo, Recife e Salvador), o autor aponta para a repetição de algumas atitudes: morte da princesa Isabel, simbolizada tanto pela queima de uma boneca quanto pelos comentários feitos sobre o enterro da senhora imperial; era, portanto, a morte simbólica de uma heroína nacional. Para Gorender, "as comemorações ficaram apagadas e depreciadas pelos protestos dos movimentos negros na rua" (idem). Ainda segundo o autor, o Rio de Janeiro assistiu à "marcha contra a falsa Abolição", mas o exército reprimiu a caminhada, levando presos alguns manifestantes (1991, p. 91).

Na opinião de José Murilo de Carvalho, no Rio de Janeiro, a "marcha dos negros contra a farsa da Abolição" ocorreu dias antes, em 11 de maio de 1988, na avenida Presidente Vargas, em frente ao Panteão de Caxias. Protesto que foi reprimido pelo comando militar com seiscentos soldados. Segundo Carvalho, essa investida militar foi descabida, já que a principal reivindicação dos negros era a melhoria das condições de vida da população afrodescendente. Em suas palavras (2005, p. 156): "Mesmo admitindo que houvesse da parte dos manifestantes a intenção de protestar frente ao Panteão, a reação militar, nos termos em que se deu, não se justificava".

Já Ivanir do Santos, que fazia parte da coordenação da marcha carioca e participou da negociação com o comando do Exército nos momentos mais tensos do conflito, dá uma versão que vem do interior do movimento: "Ninguém queria esculhambar o Caxias", mas "Caxias não era um herói para a comunidade negra. É um herói do exército". Durante a marcha, segundo Santos (*apud* Alberti e Pereira, 2007, p. 264-5), a interpretação do Exército era a de que os ativistas iam danificar o busto de Caxias. Por isso, reprimiu a caminhada dos manifestantes. "Aí é que o negro ia esculhambar o Caxias mesmo!", uma vez que "a reação do Exército tinha provocado em todos nós uma ira". Santos acrescenta que esse enfrentamento despertou a atenção de toda a imprensa, que acabou mostrando a farsa da Abolição.

Ainda no ano do centenário, ativistas cariocas articularam a Marcha Zumbi dos Palmares, no dia 20 de novembro, a qual se concentrou na Candelária. Lélia Gonzalez, presença constante nas caminhadas e passeatas negras, nesse dia fez um pronunciamento eloquente, criticando a suposta democracia racial:

> O nosso herói nacional foi liquidado pela traição das forças colonialistas. O grande líder do primeiro estado livre de todas as Américas, coisa que não se ensina em nossas escolas para nossas crianças. E quando eu falo de nossas crianças, estou falando das crianças negras, brancas e amarelas que não sabem que o primeiro Estado livre de todo o continente americano surgiu no Brasil e foi criado pelos negros que resistiram à escravidão e se dirigiram para o sul da capitania de Pernambuco, atual estado de Alagoas, a fim de criar uma sociedade livre e igualitária. Uma sociedade alternativa, onde negros e brancos viviam com o maior respeito, proprietários da terra e senhores do produto de seu trabalho. Palmares é um exemplo livre e físico de uma nacionalidade brasileira, uma nacionalidade que está por se constituir. Nacionalidade esta em que negros, brancos e índios lutam para que este país se transforme efetivamente numa democracia. (vídeo *A marcha negra*, 1988)

Como porta-voz da luta negra, Lélia Gonzalez vislumbrava a possibilidade de reviver em Palmares o processo de redemocratização do Brasil e, com isso, a esperança de que o pacto nacional fosse firmado em bases não hierárquicas. Assim, o caminho para a igualdade de negros, brancos e índios, alicerces da nacionalidade brasileira, deveria ser traçado nos espaços públicos. E os lugares mais propícios para esse grande desafio eram a política e a cultura.

7. Mulher negra fora do lugar

A formação de núcleos e coletivos femininos contemporâneos com fins políticos ocorreu no interior do movimento negro no final dos anos 1970. No entanto, as ativistas eram unânimes em ressaltar a postura e o comportamento machista de seus companheiros militantes. Nas entidades, os homens agiam de modo autoritário, controlavam as falas das mulheres, faziam ameaças verbais e dominavam as estruturas decisórias.

Além disso, o comportamento na vida privada e íntima dos militantes às vezes contrariava os discursos libertários realizados em espaços públicos; intelectuais e lideranças de destaque, por exemplo, casaram-se com mulheres brancas. Ou seja: por mais que o movimento buscasse afirmar a estética negra, valorizando as relações intrarraciais, ainda permanecia o ideal estético do "branco belo". Embora as mulheres negras fossem companheiras e colaboradoras de luta, a mulher branca tinha forte presença no imaginário masculino negro. Algumas atitudes de ativistas – que colocavam as mulheres negras do movimento na condição de "disponíveis" – também contribuíram para agravar ainda mais esse quadro de contradições. Havia, portanto, muito conflito por conta da discrepância entre o discurso e a prática exercida no cotidiano.

Isso denota a opressão imposta às mulheres negras – tanto nos espaços da casa quanto na divisão do trabalho. Além de cuidar da família e dos afazeres domésticos, muitas vezes elas trabalhavam fora, desempenhando funções manuais mal remuneradas. Poucas foram as militantes do movimento negro – inclusive as que tinham ensino superior e/ou eram profissionais liberais) – que chegaram a alçar uma posição econômica condizente com seu *status* educacional. No caso das mulheres casadas, a jornada de trabalho era bem maior, uma vez que também era preciso cuidar dos filhos.

Apesar de criar com sua irmã e sua mãe o sobrinho Rubens, Lélia não tinha filhos biológicos nem era casada quando assumiu posições importantes no movimento negro. No entanto, era a mais velha do grupo e já tinha um currículo profissional de prestígio. Isso tudo lhe conferia – ainda que pertencesse ao sexo feminino e, por essa razão, estivesse vulnerável às diversas formas de machismo presentes no interior do movimento – uma posição de autoridade. De modo que sua situação se diferenciava das outras ativistas, que eram mais jovens, mães de família e/ou estudantes sem destino profissional definido.

Assim, mesmo sem ter atuado nas primeiras reuniões das mulheres negras cariocas do movimento negro, que aconteceram na Cândido Mendes por volta de 1973/1974 (Viana, 2006), Lélia foi recebida pelas ativistas com grande respeito e admiração. Logo que tomou conhecimento da organização e das reuniões femininas, tratou de registrar a luta dessas mulheres em seus escritos e palestras, escrevendo sobre o processo de configuração dos coletivos:

> Os anos seguintes testemunharam a criação de outros grupos de mulheres negras (Aqualtune, 1979; Luiza Mahin, 1980; Grupo de Mulheres Negras do Rio de Janeiro, 1982), que de um modo ou outro foram reabsorvidos pelo movimento negro. Todas nós, sem jamais termos nos distanciado do movimento negro, continuamos a discutir as nossas questões específicas junto aos nossos companheiros, que muitas das vezes nos tentavam excluir dos níveis de decisões, delegando tarefas mais "femininas". Desnecessário dizer que o MN não deixava (e nem deixou ainda) de reproduzir práticas originárias mistas, sobretudo no que diz respeito ao sexismo. (Gonzalez, 1985, p. 100)

Dessas articulações femininas surgiu a necessidade de construir um grupo que fosse autônomo, fora das dependências do movimento negro. Foi criado, então, em 16 de junho de 1983, na sede da Associação do Morro dos Cabritos, zona oeste do Rio de Janeiro, o Nzinga Coletivo de Mulheres, do qual Lélia Gonzalez foi a primeira coordenadora.

O nome dado ao coletivo é uma referência à rainha africana e a sua luta para enfrentar o poder colonial em Angola. Mas as representações simbólicas não paravam por aí: as cores adotadas pelo movimento faziam alusão tanto à cosmologia religiosa afro-brasileira quanto aos signos que representam o movimento feminista. Tal simbiose se expressou nas cores utilizadas na logomarca do Nzinga: o amarelo de Oxum e o roxo do movimento internacional de mulheres. O coletivo se fez representar por um pássaro que, segundo Lélia, significava a ancestralidade feminina de tradição nagô.

O objetivo do coletivo era trabalhar com mulheres negras de baixa renda, tanto que não foi por acaso a escolha do espaço onde desenvolveria suas atividades. Os movimentos sociais negros e feministas daquela época perceberam que era preciso se aproximar cada vez mais das camadas menos favorecidas da sociedade, em particular as bases populares em que a mobilização coletiva se mostrava viável. A verdade é que nem todos os movimentos conseguiam promover essa aproximação. Porém, a experiência do Nzinga alcançou algo singular: de um lado, formou-se um agrupamento político de mulheres de diferentes posições sociais (moradoras do morro e de bairro de classe média, trabalhadoras manuais com baixa escolaridade e mulheres com formação universitária); de outro, reuniram-se experiências diversas de formação associativa (mulheres oriundas do movimento feminista, do movimento negro e dos movimentos de bairro e de favelas etc.).

Um apoio importante para o fortalecimento desse espaço veio da então vereadora carioca Benedita da Silva, que mobilizou os recursos necessários para a realização de eventos e encontros de mulheres negras, com especial destaque para os Seminários de Mulheres de Favela e Periferia, que marcaram também o aparecimento do Coletivo de Mulheres de Favela e Periferia (Gonzalez, 1985; Viana, 2006).

A experiência do Nzinga foi muito interessante, pois buscou desenvolver na prática as categorias de raça, sexo e classe. Benedita da Silva, que esteve intimamente envolvida com o coletivo, fez o seguinte comentário sobre a articulação entre as demandas das mulheres da comunidade e os temas relativos aos movimentos feminista e negro:

> Nós queríamos que esse recorte da mulher negra com toda a sua plenitude fosse trabalhado. A grande discussão do momento era "meu corpo me pertence". E o corpo da mulher negra da comunidade era um corpo que tinha que ir para a fila para pegar água de madrugada. Algumas pegavam lenha e outras o gás, que acabava. Outra tinha o quarto em casa. O quarto era tudo para ela: era a sala, a cozinha, o banheiro [...]. E aquelas violências domésticas que aconteciam. Também as coisas que pensavam da vida de uma mulher negra, naquele momento era fundamental a discussão, e essa mulher se queixava de muita coisa. [...] Essa mulher tinha outras coisas, tinha a escola que não tinha vaga para o filho dela. (Entrevista, fevereiro, 2010)

É curioso notar que para uma intelectual como Gonzalez não bastava trabalhar teoricamente certos conceitos, era preciso também intervenção social, na qual se pudessem operá-los numa experiência de transformação do "mundo da vida", para utilizar a expressão do filósofo Habermas. Nesse universo, Lélia foi cada vez mais se consolidando como uma pensadora da práxis política e das possibilidades de rompimento com as estruturas de desigualdade e opressão de ordem econômica, social e cultural.

Mesmo sem ter sido pioneira no discurso a respeito das condições específicas de exploração e subordinação a que eram submetidas as mulheres negras, Gonzalez foi uma das autoras que mais debateram o assunto, dedicando boa parte da sua vida intelectual a construir um pensamento crítico que explicasse as causas socioculturais e econômicas que criavam um contexto de desigualdade de raça, sexo e classe.

A importância de Lélia Gonzalez na produção de um discurso crítico sobre a posição subalterna da mulher negra na sociedade brasileira é consenso no interior da militância feminista e negra em todo o país. Em São Paulo, ativistas e intelectuais que posteriormente formaram coletivos e organizações de mulheres negras foram influenciadas por ela, como é o caso de Sueli Carneiro.

> [...] conhecer a Lélia Gonzalez foi um momento de revelação para mim. [...] ela organizou o que faltava, ela organizou um sentido de uma experiência única de ser mulher, ela decodificou a especificidade dessa identidade e como isso era um eixo político próprio, único, que não podia ser dissolvido, fosse na questão racial conduzida pelos homens, naquele momento, fosse na questão de gênero, do ponto de vista da mulher, conduzida pelas mulheres brancas. (Borges, 2009, p. 55)

Luiza Bairros, outra ativista que foi influenciada por Lélia, revela que a conheceu ao ingressar no Movimento Negro Unificado da Bahia – o qual Gonzalez ajudou a construir por meio de cursos de formação e de articulação política. Anos depois da morte de Lélia, Bairros escreveu sobre o importante papel da intelectual na inscrição de novas representações no ativismo político no final dos anos 1970:

> Quando a maioria das militantes do MNU ainda não tinha uma elaboração mais aprofundada sobre a mulher negra, era Lélia que servia como nossa porta-voz contra o sexismo que ameaçava subordinar a participação de mulheres no interior do MNU e o racismo que impedia nossa inserção plena no movimento de mulheres. (Bairros, 1999, p. 348)

A questão apresentada por Bairros revela, de forma mais ampla, o significado do discurso de Lélia Gonzalez e a força de sua crítica, que extrapolava o Movimento Negro Unificado e as esferas de atuação do feminismo brasileiro daquele período.

MOVIMENTO FEMINISTA: ARTICULAÇÃO, TROCAS E CONFRONTOS

A participação de Lélia em movimentos sociais e culturais certamente foi decisiva para a formação de sua identidade pessoal e também de seu pensamento. Do feminismo ela absorveu a produção teórica acerca das desigualdades entre homens e mulheres. Não se sabe ao certo quando Lélia se envolveu com o movimento feminista, nem quais foram as mulheres que a introduziram diretamente nele; porém tudo indica que, quando ingressou no movimento feminista nacional, ela já era conhecida por suas palestras sobre a mulher negra e por seus predicados intelectuais e pragmáticos. Rose Marie Muraro, escritora e amiga de Lélia, recorda de uma conferência que ambas realizaram no final dos anos 1970. Shuma Schumaher, que também já era ativista, disse ter conhecido Lélia durante a articulação do movimento de mulheres em favor do Conselho Nacional dos Direitos da Mulher, porém já sabia de sua existência por meio de palestras que Gonzalez fazia no Rio de Janeiro e em São Paulo.

De fato, Lélia escreveu em 1982 um artigo no livro *O lugar da mulher: estudos sobre a condição feminina na sociedade atual*, no qual várias intelectuais proeminentes tratam da condição feminina na sociedade contemporânea. Seu texto visava exatamente analisar a situação da mulher negra na sociedade brasileira, considerando a cultura patriarcal e as formas de dominação racial exercidas não apenas pelos homens, mas também pelas mulheres brancas.

Nesse sentido, acreditamos que o envolvimento de Lélia com o feminismo ocorreu tanto pela práxis política das mulheres negras no interior das organizações do movimento negro quanto pela sua participação no IPCN e no MNU, e, principalmente, por sua experiência em organizar o coletivo Nzinga.

Contudo, antes ingressar no movimento social, Lélia já trazia uma bagagem de formação baseada em leitura das intelectuais francesas, com destaque para Simone de Beauvoir. Das feministas brasileiras, lia Rose Marie Muraro e Heleieth Saffioti. Além disso, Gonzalez, em suas várias viagens para os Estados Unidos, entrou em contato com feministas negras de lá. Essa fusão de matrizes feministas influenciou seus escritos sobre a mulher negra brasileira. Lélia buscava ainda respaldo teórico nos estudos de relações raciais e na produção de intelectuais negros, como W. E. B. Du Bois, Abdias Nascimento e Clóvis Moura, entre outros.

Seu contato com o movimento feminista mais intelectualizado se aprofundou no início da década de 1980, ocasião em que integrou o conselho do jornal *Mulherio*, produção financiada pela Fundação Ford e sediada na Fundação Carlos Chagas, na capital paulista. *Mulherio* foi um periódico de mulheres intelectuais que circulou durante quase toda a década de 1980. Debatia a ampliação da consciência de gênero e o combate ao machismo na sociedade. Os temas em voga eram: aborto, inserção feminina no mercado de trabalho, violência contra a mulher e participação política, especialmente em cargos eletivos. Dentro desse ambiente cultural, Lélia Gonzalez problematizou a questão da mulher negra como categoria específica na luta contra as desigualdades sociais entre os sexos, tema que ela conseguia estender a todos os outros debates feministas.

Os artigos de Lélia no jornal *Mulherio* se diferenciavam por abordar também a questão racial. Além de existir um forte e inegável sexismo na sociedade brasileira, havia preconceitos e desigualdades entre "raças". A mulher negra sofria, por assim dizer, duplamente: por ser mulher e por ser negra. Para Lélia, "os efeitos das desigualdades raciais são muito mais contundentes que os da desigualdade sexual" (1981, p. 8). De modo que o feminismo precisava compreender que a raça também constituía um forte elemento de exclusão (até pior que o de gênero). Na realidade, Lélia chamava atenção para o fato de que as próprias mulheres brancas, que tanto lutavam contra a opressão, eram também opressoras – pois mantinham, de certo modo, as desigualdades de raça na sociedade brasileira.

Um artigo com o título de "Pesquisa" foi o primeiro texto de Lélia para o *Mulherio*. Com base em dados estatísticos da Pesquisa Nacional por Amostra de Domicílios (Pnad, 1976), a autora comentou o resultado desse estudo no que dizia respeito às desigualdades por sexo e cor, principalmente em atividades desempenhadas por negras e brancas no mercado de trabalho. Segundo Lélia, as mulheres negras compunham a base de uma hierarquia racial, pois a pesquisa revelara que as diferenças entre mulheres e homens brancos eram menores do que as diferenças entre mulheres brancas e negras.

Ainda nessa mesma linha de raciocínio, Lélia fez a seguinte afirmação sobre o movimento de mulheres: "O movimento feminista tem suas raízes históricas mergulhadas na classe média branca, o que significa muito maiores possibilidades de acesso e de sucesso em termos educacionais, profissionais, financeiros, de prestígio etc." (Gonzalez, 1981, p. 8). E isso fazia que elas tivessem dificuldade de perceber as disparidades de classe e de *status* no interior do grupo populacional composto pelo sexo feminino. Sua reflexão, portanto, ia além da ênfase dada às distâncias socioeconômicas entre negras e brancas: alertava para o fato de que o próprio feminismo brasileiro, tal como fora construído, também se valia da opressão feminina da mulher negra. Em outras palavras, a liberdade das mulheres estava assentada na exploração de classe e de raça de outras mulheres que não dispunham dos mesmos privilégios sociais.

A EXPERIÊNCIA DO CONSELHO NACIONAL DOS DIREITOS DA MULHER

Em 1984, perto de completar 50 anos, Lélia participou de um encontro com o então governador de Minas Gerais, Tancredo Neves (PMDB-MG). O objetivo era criar um órgão institucional em que se pudessem discutir e desenvolver ações relativas ao movimento organizado de mulheres. Liderado pela atriz, produtora teatral e deputada estadual Ruth Escobar (PMDB-SP), o encontro contou com a presença de diversas lideranças femininas oriundas de vários estados brasileiros.

Assim, no ano seguinte foi criado o Conselho Nacional dos Direitos da Mulher (CNDM), sancionado em lei pelo presidente José Sarney, que assumiu a presidência após a morte de Tancredo Neves. Vinculado ao Ministério da Justiça, era composto por conselho deliberativo, assessoria técnica e secretaria executiva. A proposta original do conselho era

> promover, em âmbito nacional, políticas que visem eliminar a discriminação da mulher, assegurando-lhe condições de liberdade e de igualdade de direitos, bem como sua plena participação nas atividades políticas, econômicas e culturais do país. (Lei 7.353, de 29/8/1985)

Presidido por Ruth Escobar, o CNDM tinha assento para dezessete mulheres. As conselheiras foram escolhidas pelo movimento de mulheres. As mulheres negras já organizadas fizeram as seguintes indicações: no Rio de Janeiro, entre outros nomes importantes, estavam os de Benedita da Silva, Adélia dos Santos e Lélia Gonzalez; na Bahia, Luiza Bairros e Jacira dos Santos Silva; em São Paulo, Jaci dos Santos, Thereza Santos, Maria da Penha Guimarães e Leni de Oliveira; em Pernambuco, Wanda Shase; no Maranhão, Maria Raimunda Araújo, a Mundinha; no Rio Grande do Sul, Vera Moraes; em Minas Gerais, Maria José de Souza (a Tita); e em Sergipe, Vanda Oliveira da Costa. Mas, pelo resultado da seleção, o Rio de Janeiro foi o estado vencedor, deixando para trás, por exemplo, todas as indicações de São Paulo, estado precursor na criação do Conselho Estadual da Condição Feminina (CECF). Entretanto, era também o estado que viveu uma experiência marcante de luta no interior do Conselho Estadual, justamente porque não tinha indicado em seu quadro nenhuma mulher negra, fato que gerou conflitos intensos, que inclusive foram expostos na imprensa.

Além dos motivos ideológicos, importantes no que se refere ao espaço institucional de poder, a seleção das conselheiras levou em conta sua produção intelectual sobre o tema e sua trajetória de engajamento político. E foi exatamente nesse sentido que Ruth Escobar, em seu discurso de posse no CNDM, intitulado "Resistência ao esmagamento", declarou: "[...] temos ao nosso lado, neste conselho, mulheres que não só representam alguns dos melhores dos nossos quadros intelectuais deste país, mas também da militância histórica" (*Jornal de Brasília*, 11 set. 1985, p. 2).

Lélia Gonzalez, Ruth Cardoso, Jackeline Pitanguy, Rose Marie Muraro, entre outras, foram conselheiras desse órgão, com poder deliberativo e mandato de quatro anos. Assim, até 1989, Lélia participou ativamente do CNDM, atuando nas seguintes áreas: trabalho, comunicação, educação, sexualidade, mulher negra e violência. Benedita da Silva, também conselheira nesse mesmo período, abordou os temas Constituinte e mulher negra. Lélia e Benedita eram as duas mulheres que, no Conselho, permitiam a articulação das questões de raça, classe e gênero – e faziam, portanto, que essas temáticas estivessem presentes nas discussões e nas publicações do CNDM.

É possível perceber esse tipo de articulação, por exemplo, no Encontro Nacional Mulher e Constituinte, realizado em Brasília no dia 26 de agosto de 1986: Benedita da Silva coordenou a mesa sobre discriminação racial; Lélia Gonzalez foi palestrante ao lado de Leila Linhares e Vera Lúcia Santana de Araújo. O objetivo de sua mesa era escrever uma carta das mulheres à Assembleia Nacional Constituinte. No que se refere à temática racial, a penalização rigorosa do racismo foi pleiteada para inscrição constitucional. Essa demanda proposta pelo movimento negro chamou a atenção do movimento feminista, que passou a reivindicar uma legislação análoga, para coibir a violência contra mulher – o que evidencia as trocas entre as ativistas no interior do Conselho:

> Para dar um exemplo interessante, me recordo do momento da Constituinte, em Brasília, quando eu atuava como mulher negra dentro do movimento de mulheres, no Conselho Nacional. Havia uma passagem de informações, porque o movimento negro estava se reunindo lá para fazer suas propostas aos constituintes. Eu me recordo que, de repente, chegou uma mulher dizendo assim: olha, o movimento negro está se reunindo por uma questão incrí-

vel, a questão de crime inafiançável com relação à questão racial, a gente tem que trazer isso também para nós. [...] E eu verificava uma anterioridade do movimento negro na colocação de uma série de questões para o movimento feminista, que, por sua vez, passou para o movimento homossexual e, de repente, você constata isso a partir de uma experiência concreta. (*Jornal do MNU*, 1991)

Essa entrevista, concedida dois anos após o fim do seu mandato no Conselho, indica que as identidades e os papéis do Estado e dos movimentos sociais não tinham fronteiras tão bem definidas.

Naquele período de agitação em torno da Constituinte, o CNDM promoveu um conjunto de ações que ratificavam a importância desse ambiente político no que se refere ao processo de reforma do pacto social. Ainda assim, os esforços do Conselho se voltaram também para o plano da cultura, espaço de construção de uma nova mentalidade sobre a mulher. Nesse sentido, foi bastante perspicaz a escolha da mídia como lugar de questionamento da imagem feminina, especialmente porque os meios de comunicação de massa se expandiam cada vez mais e, com isso, contribuíam para o surgimento de formadores de opinião. Quanto mais os aparelhos de televisão se tornavam acessíveis às classes de menor poder aquisitivo, maior era o seu público.

Para discutir esse tema, o CNDM, em parceira com Ministério da Cultura, Funarte, TV Globo, Hotel Maksoud Plaza e Governo do Estado de São Paulo, promoveu, no dia 5 de março de 1986, um grande seminário nacional: "A imagem da mulher nos meios de comunicação". O evento tratou da representação da mulher em diferentes mídias, como jornais, revistas, publicidade e propaganda, cinema, livros didáticos, humor e telenovela. Grandes personalidades da imprensa foram convidadas a compor as mesas de debate. Também estiveram representados os principais veículos impressos do Brasil, bem como as empresas produtoras de informação.

Lélia Gonzalez coordenou, nesse encontro, uma mesa sobre a imagem da mulher na novela, e foram chamados para falar, entre outros, os autores Sílvio de Abreu e Glória Peres. No mesmo seminário, além de Lélia, outras mulheres negras compuseram as demais mesas de debate, como Thereza Santos, do Coletivo de Mulheres Negras, e Rachel de Oliveira, do Conselho Estadual da Comunidade Negra – esta, aliás, participou da discussão sobre a imagem da mulher no livro didático.

Os acontecimentos mais marcantes do evento foram os relacionados com o centenário da Abolição. Especialmente o que aconteceu na capital paulista, chamado Tribunal Winnie Mandela, uma iniciativa da OAB-Mulher de São Paulo, do Conselho da Condição Feminina e do Conselho Nacional dos Direitos da Mulher. O evento ocorreu no Largo São Francisco, na Faculdade de Direito da USP, com o objetivo "constituir-se em fórum de debates, análise e aprofundamento da reflexão sobre as dificuldades de inserção social das mulheres negras no Brasil" (*Jornal do CNDM*, n. 6, jul. 1988).

Este tribunal contou com a participação das ativistas negras inseridas nos Conselhos nacional e estadual, como Sueli Carneiro, que na época coordenava os assuntos da mulher negra do CNDM. Teve ainda a presença de Benedita da Silva, já no cargo de deputada constituinte, Dalmo de Abreu Dallari, professor da Faculdade de Direito da USP, e Abdias Nascimento.

O evento fechava um ciclo de atuação das ativistas negras, que influenciavam, na medida do possível, a representação das mulheres brancas no interior do movimento feminista. Atividades como as que ocorreram no centenário da Abolição e publicações de artigos na imprensa feminina deixaram rastros definitivos do ativismo feminino negro e, sobretudo, a marca da mulher que seria lembrada como a mais importante intelectual negra daquele período: Lélia Gonzalez.

No entanto, a relação das mulheres negras com as demais feministas teve momentos de tensão. Não foram raros os momentos em que Lélia Gonzalez fez críticas contundentes à atuação e concepção do pensamento feminista no Brasil, tanto pela dificuldade de inserção da temática racial quanto pela censura ao discurso das mulheres negras. No trecho a seguir ela relata um desses conflitos:

> Mas no momento em que começamos a falar do racismo e suas práticas em termos de mulher negra, já não houve mais unanimidade. Nossa fala foi acusada de emocional por umas e até mesmo de revanchista por outras; todavia, as representantes de regiões mais pobres nos entenderam perfeitamente (eram mestiças em sua maioria). (Gonzalez, 1982, p. 101)

Para ela, havia uma contradição no interior do movimento, na medida em que ele não atentava para outros tipos de discriminação: "Tratar, por exemplo, a divisão sexual do trabalho sem articular com seu correspondente racial é recriar em uma espécie de racionalismo universal abstrato, típico de um discurso masculinizante e branco" (1988a, p. 153). Nesse sentido, sua proposta era a de que o movimento de mulheres discutisse as relações raciais para que a luta das feministas não se tornasse alienada nem reproduzisse a ideologia eurocêntrica da realidade.

Apesar das críticas, Gonzalez acreditava no potencial transformador do movimento feminista e, assim como sabia identificar suas falhas e lacunas, também reconhecia seus méritos e avanços:

> Ao centralizar suas análises em termos de uma concepção do capitalismo patriarcal (o patriarcado capitalista), evidenciam as bases materiais e simbólicas da opressão das mulheres, o que constitui uma contribuição de crucial importância para o encaminhamento de nossa luta como movimento. Ao demonstrar, por exemplo, o caráter político do mundo privado, desencadeou todo um debate público, em que surgiu o debate de questões totalmente novas – sexualidade, violência, direitos reprodutivos etc. –, que se revelaram articuladas às relações de dominação/submissão. (1988, p. 134)

Lélia entendia o pensamento negro feminista de forma abrangente. Ela chamava a atenção para um tipo de feminismo que se desenvolveria entre as mulheres negras: um "feminismo negro [que] possui sua diferença específica em face do ocidental: o da solidariedade, fundada numa experiência histórica comum" (1985, p. 101). Por conta disso, o feminismo que se formou no seio das lutas de mulheres negras traria um tipo de solidariedade com os homens negros, já que eles também compartilhavam com elas alguma forma de opressão, fosse na história da escravidão, fosse na experiência cotidiana das práticas racistas (Rios, 2007).

A visão política de Lélia não consistia, portanto, na sectarização do movimento. Ao contrário, relatos ao seu respeito indicam uma personalidade forte e agregadora. Aliás, como ela gostava de dizer, "[é] preciso ser radical sem ser sectário". Ou seja, realizar a difícil tarefa de articular possibilidades de transformação e unidade de luta em um contexto no qual a diferenciação dos movimentos sociais era sensivelmente marcante, pois todos queriam afirmar sua singularidade e autonomia. Com isso em mente, Lélia Gonzalez acreditava que, embora firmado na diferença e na particularidade, era possível construir um discurso do humano sem criar abismos entre as pessoas. Foi assim que a crítica e as diversas tentativas de unidade de luta entre movimentos sociais selaram sua trajetória de vida.

8. Correntes políticas, partidos e vontade de representação

O movimento negro contemporâneo tem raízes na esquerda brasileira surgida durante o regime militar (Gonzalez, 1982a; Hanchard, 2001). Por sinal, foi da Convergência Socialista[16] que surgiu o embrião da luta contra o racismo, que mais tarde faria parte da fundação do Movimento Negro Unificado. Muitos líderes do MNU pertenceram a partidos políticos. Com Lélia não foi diferente: após uma passagem rápida pela Convergência Socialista (*O Pasquim*, 1986), participou da formação do Partido dos Trabalhadores (PT), onde se inseriu na coordenação executiva.

Sob a liderança de Leonel Brizola, o Partido Democrático Trabalhista (PDT), igualmente composto durante o processo de abertura democrática, incluiu a temática racial em sua pla-

---

16. A Convergência Socialista foi uma das correntes políticas que formaram o Partido dos Trabalhadores (PT). No início da década de 1990, parte desse grupo se desligou do PT e fundou o Partido Socialista dos Trabalhadores Unificados (PSTU).

taforma política. No exílio, Brizola mantivera contato com Abdias Nascimento; além de desejar que ele se candidatasse pelo PDT, queria criar propostas direcionadas à população negra.

A relação de Abdias com o trabalhismo era antiga. Desde os anos 1940, ele já desenvolvia atividades no Partido Trabalhista Brasileiro (PTB), onde criou um núcleo para pensar em estratégias de inserção de negros na vida política e fez propostas de superação do preconceito de cor. Também dirigia uma seção no *Diário Trabalhista* na qual discutia os problemas raciais (Guimarães e Macedo, 2008). Sua relação com o trabalhismo voltou a se intensificar no processo de redemocratização brasileiro. Nesse contexto, Abdias Nascimento buscou inserir a temática racial no conteúdo programático do PDT, um dos partidos herdeiros da ideologia trabalhista.

A casa de Abdias Nascimento e de sua esposa, Elisa Larkin Nascimento, em Búfalo, estado de Nova York (Estados Unidos), hospedou Lélia Gonzalez quando de sua primeira visita ao país, na primavera de 1979. Foi nesse período que o casal a levou para centros universitários e encontros com intelectuais negros norte-americanos. Durante essa viagem, Lélia foi convidada a se aliar a Brizola e Abdias. Chegou a participar de uma reunião, na qual se encontrou com Brizola, Marieta Campos Dumas[17] e dona Neuza Brizola. Contudo, ainda que tenha percebido abertura dos políticos para a questão racial, preferiu firmar compromisso com os políticos do PT, com quem já estava negociando.

17. Marieta Campos Dumas fazia parte do Teatro Experimental do Negro. Casou-se com Léon-Gontran Dumas (1912-1978), um dos poetas do movimento francófono de negritude, também formado pelo martinicano Aimé Cesaire (1913-2008) e pelo senegalês Leopoldo Sedar (1906-1980).

Foi uma aposta, já que ela, apesar de nunca deixar de dialogar com os partidos políticos, mantinha uma postura bastante crítica em relação a eles. Nesse sentido, a entrevista que Lélia concedeu para o livro *Patrulhas ideológicas* é bastante ilustrativa. Questionada sobre o que pensava das esquerdas brasileiras, ela respondeu com veemência:

> Bom, eu gostaria de colocar aqui que eu pertenço ao Movimento Negro Unificado, que estamos aí numa batalha violenta no sentido de conquistar um espaço para o negro na realidade brasileira, e o que eu tenho percebido é uma tentativa por parte das esquerdas em geral de reduzir a questão do negro a uma questão meramente econômico-social. Na medida que liquida o problema de classe, na medida que entramos numa sociedade socialista, o problema da discriminação está resolvido. A meu ver esse problema é muito mais antigo que o próprio sistema capitalista, e está de tal modo entranhado na cuca das pessoas, que não é a mudança de um sistema para o outro que vai determinar o desaparecimento da discriminação racial. [...] As correntes progressistas, elas minimizam da forma mais incrível as nossas reivindicações. (Pereira e Hollanda, 1980, p. 204-5)

Essa declaração de Lélia torna evidente que havia problemas de diálogo com a esquerda. Ainda que o comentário se referisse a todos os militantes progressistas, até aquele momento sua experiência era com a Convergência Socialista.

Ao aderir a determinados partidos – ou ao apoiá-los –, Lélia e muitos outros militantes negros apostaram numa possibilidade de luta simbólica, que poderia ser conquistada pela persuasão discursiva, ou seja, por meio da afirmação de que a questão racial era fundamental para resolver o problema da desigualdade no Brasil. Depois de muito diálogo, Lélia acabou se engajando na formação do PT, partido que ela considerava pluralista. Em depoimento coletado por Teresa Cristina Costa (1982, p. 44), ela comentou sua opção pelo Partido dos Trabalhadores, no ano em que foram realizadas as primeiras eleições pluripartidaristas brasileiras pós-ditadura militar: "O PT é um partido que não tem senhor, não tem essa de arregaçar a manga, feito Ademar. Eudes é Eudes, não é senhor senador, meu governador etc. É toda uma visão de mundo, uma postura corporal diferente".

Interessante notar o sentido do elogio de Lélia ao partido. Para ela, a maior virtude do PT era exatamente sua formação social e as relações estabelecidas entre as pessoas. Além de ser composto, em sua maioria, por indivíduos oriundos de camadas sociais mais baixas e trabalhadores sindicalizados, o Partido dos Trabalhadores parecia buscar uma horizontalidade nas relações sociais, quebrando, de certa forma, o padrão elitista dos partidos tradicionais brasileiros, formados por classes econômicas elevadas ou por uma camada média intelectualizada – distantes, portanto, da realidade vivida pela maioria da população. Também cabe ressaltar que a frase "o PT é um partido que não tem senhor" faz referência direta ao discurso do movimento negro, que usava o termo "senhor" para se referir à persistência da estrutura escravista na sociedade brasileira, que se fazia representar pelos herdeiros dos antigos senhores.

Essa entrevista foi concedida exatamente no pleito de 1982, ano decisivo para a competição eleitoral nos estados. Com o pluripartidarismo, novos atores políticos passaram a disputar as eleições, e o movimento negro sugeriu que algumas de suas lideranças concorressem a cargos eletivos, iniciando uma nova forma de atuação política. Nessa investida, e pelo mesmo partido, Lélia se candidatou a deputada federal; sua amiga Benedita da Silva, a vereadora.

Com uma campanha marcada pela afirmação de sua identidade como mulher negra, enfatizando a ideia de que o negro é maioria no Brasil, Lélia declarou em vários discursos que sua campanha era para "a maioria silenciada". De modo geral, obteve apoio do movimento negro, do movimento de mulheres e do movimento homossexual, segmentos com os quais ela buscava dialogar. Ao analisar a propaganda e os discursos da candidata, Teresa Costa (1982, p. 48) escreveu:

> Para viabilizar a sua campanha, Lélia Gonzalez, mantendo sua identidade básica de mulher negra, articulou a questão racial com outras questões, ampliando a sua plataforma e estabelecendo no processo eleitoral uma ampla rede de relações (que inclui candidatos, militantes do PT, grupos de outras campanhas e amigos seus), caracterizada por sua heterogeneidade.

Lélia buscou, de fato, apoio em vários segmentos sociais – o que ampliou sua rede de sustentação. Fez comícios em diferentes espaços, como na boate *gay* Casa Nova, onde seus agentes de campanha (que eram amigos) promoveram duas festas para mostrar suas propostas, arrecadar recursos e angariar votos daquele público. Companheiros de militância, como Elizabeth Viana e Ana Felippe, entre outros, fizeram parte do comitê e da organização de eventos. Januário Garcia, que já era um artista renomado na época, contribuiu de várias formas, inclusive fazendo as fotos profissionais para o material de divulgação. A atriz Zezé Motta também marcou presença em aparições públicas de Lélia em diferentes pontos da cidade, inclusive na Baixada Fluminense, onde elas foram flagradas diversas vezes pelas câmeras dos agentes do Dops. Zezé, também filiada ao PT, em apoio à companheira, fazia pequenos shows musicais, encantando o povo fluminense.

O comentário que Lélia fez sobre a própria campanha, além de interessante, sintetiza bem o clima daqueles dias: "Uma campanha para cima, de alto astral... aberta às várias bandeiras, agitadora". No que se referia à temática racial, afirmou: "A campanha levou a questão cultural a fundo – a questão do negro dentro de você" (Gonzalez *apud* Costa, 1982, p. 48). O desejo de representação de Lélia extrapolava os aspectos físicos dos marcadores raciais; visava, sobretudo, a negritude que faz parte da nossa identidade como povo brasileiro.

A campanha de Lélia não se alinhava somente com movimentos sociais progressistas. Ao lado de Benedita da Silva, a candidata visitou diversas comunidades e morros cariocas em busca de apoio dos moradores.

Foi muito grande a esperança que Lélia depositou no PT, embora reconhecesse os limites de boa parte dos militantes e de sua direção. Não era ingênua, conhecia bem os obstáculos que precisavam ser enfrentados:

> O PT tem um papel reeducador, é um puta partido. Eu tenho uma perspectiva crítica interna e externa a nível de partido. Temos dificuldade de levar a questão do negro, da mulher, do homossexual, mas não tem estruturas guetizantes, tipo departamento negro. (Gonzalez *apud* Costa, 1982, p. 45)

As eleições chegaram ao fim e, apesar dos esforços e da grande mobilização, Lélia não conseguiu se eleger, ficando como primeira suplente na bancada do PT. Em conversa com Rose Marie Muraro, declarou que faltaram mil votos para que fosse eleita. Benedita da Silva teve mais sorte: elegeu-se vereadora. Sobre esse episódio, Benedita comentou: "Ela teve um gesto muito nobre quando eu fui eleita como vereadora. Ela aceitou estar na condição de minha assessora. Ela foi subchefe de meu gabinete para me ajudar a dar os primeiros passos" (entrevista, fevereiro, 2010).

Os primeiros passos eram exatamente a constituição desse mandato político de Benedita. Lélia ajudou na elaboração dos discursos e ainda buscou conseguir maior inserção da vereadora em outros grupos: nos movimentos negro e feminista e no meio intelectual – este completamente estranho para Benedita, mas bastante familiar para sua assessora. Essa caminhada ao lado de Benedita foi além das fronteiras do país. Com experiência em viagens ao exterior e fluente em francês (também sabendo se comunicar em inglês e em espanhol), Lélia servia de intérprete da vereadora em suas viagens internacionais.

Na organização partidária, Lélia permaneceu no diretório executivo de 1981 a 1984. Dois anos depois, deixou o PT.

O rompimento se deu por problemas de inserção do tema racial na plataforma política do partido. Havia muito tempo que Lélia se manifestava nesse sentido, inclusive fazendo críticas públicas ao PT. Em artigo publicado na *Folha de S.Paulo* em 1983, enfrentou abertamente o PT nacional, fazendo duros comentários sobre a não inclusão dos problemas sociais referentes a moradores das favelas e a negros em seu conteúdo programático exibido na televisão. Nos dez pontos apresentados pelo programa publicitário do partido não havia uma única menção às demandas de movimentos étnicos e de mulheres. Usando o título "Racismo por omissão", Lélia escreveu:

> O ato falho ao negro que marcou a apresentação do PT pareceu-me de extrema gravidade [...]. Se falou de um sonho que se pretende igualitário, democrático etc., mas exclusivo e excludente. Um sonho europeizante e europeu. E isso é muito grave, companheiros! Afinal, a questão do racismo está intimamente ligada à superioridade cultural. De quem? Ora, crioléu, mulherio e indiada deste país: se cuide, moçada! (*Folha de S.Paulo*, 1983, p. 3)

Em nova entrevista concedida ao *Pasquim*, Lélia voltou a falar de sua saída do Partido dos Trabalhadores. No depoimento, ela fez algumas ponderações sobre as diferenças regionais, especialmente entre o PT do Rio de o de São Paulo. Ao ser indagada sobre o motivo de sua saída, disparou:

> Eu mudei de partido por uma razão simples, é conhecido de todos que o PT do Rio de Janeiro acabou ficando

> restrito a determinados setores que são majoritários no PT, não realizam um trabalho efetivo na questão racial. Então, meu último sentimento em relação ao PT do Rio – eu quero frisar que só estou me referindo ao Rio de Janeiro, porque se eu estivesse em São Paulo eu não teria saído do Partido – foi vê-los como uma vanguarda falando pra quatro paredes. O PDT no Rio possui um amplo respaldo, e dentro desse respaldo a questão racial é tratada com muito mais atenção. A razão fundamental foi essa, o próprio programa partidário, diferentemente dos outros partidos, é que, antes de entrar no programa propriamente dito, ele declara suas prioridades, e veja que essas prioridades são a criança, o trabalhador, a mulher e o negro. (*O Pasquim*, 1986, p. 12)

Seu rompimento com o PT chocou alguns amigos, que, apesar de concordarem com ela sobre a falta de compromisso com a questão racial, achavam que a presença de Lélia na organização era importante para marcar uma postura crítica no interior do partido. Sua saída não significava ter desistido da política como forma de representação social. Pelo contrário; Lélia ingressou no PDT no mesmo ano, lançando-se em campanha novamente, agora como deputada estadual.

Como vimos, a persuasão para que ingressasse no partido vinha de longa data. Porém, havia naquele momento uma aproximação com Abdias Nascimento, então deputado eleito pelo PDT, e também o interesse de Darcy Ribeiro, que chamava setores feministas e negros para compor candidaturas. Nessa investida, ambos conseguiram a adesão de Lélia Gonzalez e de Rose Marie Muraro, membros do Conselho Nacional de Direitos da Mulher.

Em sua campanha pelo PDT em 1986, Lélia manteve a coerência de sua trajetória e fez uma propaganda direcionada para os negros e as mulheres. Ainda na mesma entrevista ao Pasquim, explicou a que cargo se candidataria:

> Eu serei candidata a deputada Estadual pelo PDT, e a Rose Maria Muraro também. Nós vamos fazer uma dobradinha pelo partido. Também houve uma coisa, segundo as colocações da Rose, a igreja só permitiria que ela se lançasse, se ela se comprometesse com os direitos da mulher. Por outro lado, o fato de termos vários candidatos negros à Constituinte, chegamos à conclusão de que era necessário alguém na bancada que levantasse não a questão do negro, mas também a questão da mulher, dos homossexuais, das minorias, ou melhor, das maiorias silenciadas. Minha proposta é pela modernização da Assembleia Legislativa, maior contato com o interior do estado. Inclusive eu estou indo para o Rio Grande do Sul para fazer uma conferência com as mulheres do PDT e o pessoal do movimento negro, também pra falar sobre a situação da mulher negra e, ao mesmo tempo, dar uma averiguada em como funciona a Assembleia Legislativa no Rio Grande do Sul, porque pelo que se sabe é uma das melhores do Brasil. (*O Pasquim*, 1986, p. 12)

Em sua carta programática, distribuída em folhetos e panfletos de campanha, apareciam dezessete pontos que eram considerados prioridade. O primeiro compromisso era com o movimento negro, expresso da seguinte forma: "Pela organização da comunidade negra na conquista efetiva de seus direitos de cidadania individual, política, social e econômica" (panfleto de campanha, 1986). Na sequência, Lélia defendia "a soberania da mulher sobre o seu próprio corpo" e se posicionava contra as formas de violência, firmando, assim, um comprometimento com bandeiras caras ao movimento feminista.

Sua campanha defendeu ainda os direitos "às opções sexuais dos indivíduos", sendo contrária às formas de violência e à "discriminação contra os homossexuais". Lélia também estava preocupada em preservar suas crenças políticas e seu potencial eleitorado. Em relação ao tema da homossexualidade, suas propostas eram avançadas para a época; poucos tinham coragem de levantar essa bandeira – ou, então, ela ficava restrita a pessoas assumidamente gays ou lésbicas, o que também não era uma realidade comum nesses espaços da política brasileira (Barreto, 2005).

Um de seus parceiros nessa empreitada pioneira foi o ex-estudante de medicina e ex-guerrilheiro mineiro Herbert Daniel, que problematizou sua presença "incômoda" na luta armada e fez uma articulação das demandas *gays* com as chamadas lutas de esquerda. Vale lembrar que Lélia havia publicado o artigo "Mulher negra: um retrato" no *Lampião*, primeiro jornal do movimento homossexual que começava a se formar no Brasil.

Outras demandas sociais, como reforma agrária, legalização das casas construídas em favelas e ecologia também estavam presentes nos demais pontos de sua campanha. Sobre as questões internacionais, não somente reafirmava a antiga agenda do movimento negro, que pregava o rompimento diplomático com a África do Sul por causa do regime do *apartheid*, como fazia uma proposta ousada: a "nacionalização dos investimentos sul-africanos no Brasil".

Nessa campanha que Gonzalez fez em "dobradinha" com Rose Marie Muraro, chegou a receber da amiga feminista santinhos para sua campanha, os quais ela retribuiu com palestras sobres questões sociais e raciais, apresentadas em encontros de caráter eleitoral. Ambas, porém, não conseguiram se eleger. Muraro, em entrevista, comentou os interesses do partido e o modo como reagiu ao saber do resultado desfavorável:

> Ele [Darcy Ribeiro] tinha me seduzido para me candidatar e a Lélia também, e a outros, né? Ele falou: eu faço sua campanha. Não fez nada. Nem da Lélia. A Lélia ficou danada. E quando nós perdemos eu perguntei: "Por que você fez isso com a gente?" "Ah, porque o partido precisava dos seus votos [...]" (Entrevista, fevereiro, 2010)

Em ambas as candidaturas, Lélia Gonzalez sustentou sua campanha com recursos próprios e com a ajuda de amigos. Houve um forte apoio da militância política, feminista e do movimento negro na divulgação e circulação de seu material de propaganda. Entretanto, embora tenham sido frustradas essas tentativas de construir a representação das demandas dos movimentos sociais dos quais fazia parte, ela não desistiu de ver uma transformação institucional da política brasileira. Após as eleições, continuou produzindo textos que subsidiariam as teses das feministas e dos negros na reforma constitucional, como vimos nos capítulos anteriores.

A Constituinte foi um espaço bastante aproveitado por esses ativistas. Lélia comparecia à casa de Abdias para elaborar teses para os deputados mais sensíveis à questão racial. No Rio de Janeiro, era o caso de Benedita da Silva e também de Carlos Alberto Caó[18]. Permaneceu ainda no Conselho Nacional da Mulher até 1989, onde pôde trabalhar a questão racial. Contudo, uma nova candidatura legislativa ou executiva não fez parte dos planos de Lélia, que, nos últimos tempos de vida, parece ter se desencantado com os partidos políticos. Não desistiu da política, porém se voltou para os outros papéis que sabia desempenhar bem: apresentar-se para uma plateia de alunos, militantes, políticos e intelectuais. Fazer história de outra forma, representando o negro em outros tipos de ação política.

18. O deputado Carlos Alberto Caó (PDT-RJ) foi propositor da Lei n. 7.437, de 20 de dezembro de 1985, que ficou conhecida como Lei Caó. Ela inclui, entre as contravenções penais, a prática de atos resultantes de preconceito de raça, cor, sexo ou estado civil, dando nova redação à Lei n. 1.390, de 3 de julho de 1951, conhecida como Lei Afonso Arinos.

9.

Amefricana: deslocamentos e horizontes de uma mulher negra na diáspora

É provável que a primeira grande viagem de Lélia tenha sido sua saída de Belo Horizonte para o Rio de Janeiro no início da década de 1940. Deslocamento, aliás, bastante comum entre as classes populares que buscavam melhores condições nas metrópoles – naquele período, cidades como São Paulo e Rio de Janeiro ofereciam boas oportunidades de trabalho. O esforço do irmão mais velho, que já vivia na antiga capital do Brasil, permitiu a saída de Lélia, bem como do restante de sua família. E, como já foi mostrado, tal migração foi fundamental para o ingresso de Lélia no ambiente cultural e educacional que a transformaria em uma das principais intelectuais negras do país.

Por um longo período de sua vida, entre os 7 e os 43 anos, não foram encontrados registros de suas viagens. Somente a partir de 1978 ela empreendeu deslocamentos que podem ser considerados importantes viagens de cunho pessoal, cultural e político. Na realidade, elas permitem compreender os bastidores do processo de nacionalização e internacionalização do movimento negro brasileiro. Em suas palestras, textos e conferências, assistimos à construção de uma intelectual diaspórica, com um pensamento erigido por meio de trocas afetivas e culturais, ao longo do chamado Atlântico Negro, com intelectuais, amigos e ativistas da América do Norte, Caribe e África Atlântica.

No carnaval daquele ano, já a encontramos bem informada sobre as novas expressões culturais negras, como os blocos afro soteropolitanos, especialmente o Ilê Aiyê:

> Nunca esquecerei o carnaval de 1978 que passei em Salvador. Graças à recomendação do Macalé, um de seus fundadores, participei do desfile do Ilê. Foi de arrepiar e fazer o coração da gente bater disparado. Jovens negras lindas, lindíssimas, dançando ijexá, sem perucas ou cabelos "esticados", sem bunda de fora ou máscaras de pintura, pareciam a própria encarnação de Oxum, a deusa da beleza negra. (Gonzalez, 1982c, p. 3)

Nesse trecho, Lélia chama atenção para o caráter político da ação do Ilê Aiyê e dos outros grupos culturais e artísticos negros baianos. Ainda naquele ano, esteve outras vezes em Salvador:

> A partir de um ciclo de palestras que ela realizou na cidade em maio de 1978 – "Noventa anos de Abolição: uma reflexão crítica" –, várias pessoas que já discutiam a questão do racismo formaram o Grupo Nêgo, núcleo a partir do qual surgiria o MNU-Bahia. (Bairros, 1999, p. 348)

Quase dois meses depois, esteve na cidade de São Paulo, na manifestação do Movimento Unificado Contra a Discriminação Racial. Passadas algumas semanas, Lélia retornou à capital paulista, com uma delegação fluminense, para participar da assembleia em que foram discutidos o nome da entidade, a carta de princípios e o estatuto. Com pouco tempo de militância negra, ela já era reconhecida como uma intelectual influente, conforme recorda o militante Amauri Mendes Pereira, ao se referir às discussões e disputas em torno do conteúdo dos primeiros documentos do recém-criado MUCDR: "Lélia ia para a reunião, e ela vinha com a força de ser uma intelectual negra" (Alberti e Pereira, 2007, p. 156).

As discussões que ocorriam durante esses encontros apontam para uma Lélia que se incluía entre os militantes incansáveis, aguerridos, protagonistas de reuniões que pareciam intermináveis. E a assembleia do dia 23 de julho, um domingo, é um bom exemplo disso:

> Lá pelas tantas, eram evidentes os sinais de cansaço, resultantes de tanta empolgação, de tanta entrega. Era bonito de ver aquela negada tão cheia de vida, tão ardorosa, mesmo que discordante, empenhando-se inteira naquela assembleia, e o lance mais incrível se deu quando o sono começou a ameaçar o andamento dos trabalhos. Já era alta madrugada de segunda-feira; estávamos todos exaustos, exauridos, mas com uma determinação que teimava em transcender tudo isso. E era um tal de nego [*sic*] cochilando aqui, outro acolá, outro mais adiante, todos insistindo em permanecer no plenário (ainda hoje, quando a gente,

> papeando, se recorda da cena, a gente se acaba de rir). (Gonzalez, 1982a, p. 53)

Naquele ano, foram realizadas outras duas assembleias do Movimento Negro Unificado: uma no Rio de Janeiro, no dia 9 de setembro, e outra em Salvador, no dia 4 de novembro, quando foi definido que em 20 de novembro seria comemorado o Dia Nacional da Consciência Negra (Alberti e Pereira, 2007). Na capital baiana, a Polícia Federal impediu que o evento fosse realizado no Teatro Vila Velha, e a assembleia acabou sendo transferida para o Instituto Cultural Brasil Alemanha.

Lélia viajou pelo país inteiro para articular a construção do MNU. Tanto que, para Cardoso (2002, p. 164),

> foi a partir da organização do MNU [...] na cidade de Belo Horizonte em 1979 – cuja criação e articulação inicial foi desenvolvida pelos advogados Lucimar Brasil e Maria Lúcia de Oliveira, através da atuação de Lélia Gonzalez – que mudou completamente a forma de enfrentamento político ao racismo e à discriminação racial na cidade.

Ativistas de várias partes do país, que participaram da formação do movimento negro contemporâneo em seus estados, registraram essas viagens de Lélia em cartas, fotografias, textos, documentos em áudio e, especialmente, memórias. Há lembranças de suas idas ao Maranhão e ao Rio Grande do Sul, passando por Goiás. O ativista maranhense Luis Carlos, o Luizão, conta que Gonzalez foi ao Centro de Cultura Negra de São Luís para ministrar cursos de formação de quadros naquela instituição, no início da década de 1980, durante o período de fortalecimento do recém-criado CCN.

Durante essa mesma década, Lélia Gonzalez, como integrante de um grupo de ativistas do movimento negro composto por vários acadêmicos reconhecidos, viajou até a Serra da Barriga, área do Quilombo dos Palmares, no dia 20 de novembro, data de morte de Zumbi, que se firmava como Dia Nacional da Consciência Negra.

As viagens aconteciam anualmente, quando delegações formadas em vários estados brasileiros levavam dezenas de militantes, intelectuais, artistas, religiosos e políticos para visitar o Parque Memorial Quilombo dos Palmares, que em 1986 foi registrado no Livro de Tombamento Arqueológico, Etnográfico e Paisagístico do Instituto do Patrimônio Histórico e Artístico Nacional (Iphan). Viajar até a Serra da Barriga era como se aventurar na história: buscava-se o reconhecimento oficial do espaço, o desenvolvimento econômico local, a construção de um centro de memória e de pesquisa e, sobretudo, o legado ancestral.

Nas fotos de Januário Garcia no livro *1980/2005: 25 anos do movimento negro no Brasil*, vemos Lélia Gonzalez ao lado de vários militantes negros – como a médica Edialeda Salgado Nascimento, a mãe de santo Hilda Jitolu, o jornalista Hamilton Cardoso, o antropólogo Kabengele Munanga, o ex-Pantera Negra Stokely Carmichael, o economista Hélio Santos e o historiador Joel Rufino dos Santos – nas subidas à Serra da Barriga. O filme *Ori*, de Raquel Gerber, também mostra um desses eventos.

As viagens de Lélia Gonzalez se estenderam para além da construção de uma entidade. Eram o movimento negro contemporâneo e a organização de mulheres negras que estavam em formação. O papel de Lélia Gonzalez nesse trânsito nacional não se resumiu à formação dos ativistas e jovens estudantes negros de diferentes regiões do país. Ela própria passou a compreender as experiências distintas de viver a negritude na vasta extensão territorial e cultural do Brasil. O papel mediador dessa intelectual negra organicamente envolvida com os movimentos sociais permitiu a troca de informações, a circulação de ideias, a articulação e o encontro de pessoas.

Ao relembrar os encontros com Lélia Gonzalez, ativistas de diferentes partes do país consagram a seguinte imagem da ativista: oratória envolvente, repertório intelectual vasto, domínio da norma culta associada ao recurso irreverente da linguagem popular e gestual sedutor, capaz de transformar seus interlocutores em público. Era dona de uma argumentação fascinante, sobretudo por conseguir expor com admirável clareza assuntos muitas vezes indigestos – como racismo e sexismo – para segmentos diversificados.

Além de participar de uma série de eventos nacionais e internacionais realizados no Rio de Janeiro para tratar de questões relativas às mulheres e à população negra, Lélia compareceu a diversos eventos como intelectual e ativista solidária a esses temas:

Ano	Evento	Cidade e instituição
1980	VI Jornada de Educação	Florianópolis, Universidade Federal de Santa Catarina
1982	III Congresso Afro-brasileiro	Recife, Fundação Joaquim Nabuco
1986	Seminário "A construção da cidadania"	Brasília, Departamento de Sociologia da Universidade de Brasília (UnB)

Como vimos, sua estreia em viagens internacionais aconteceu no final da década de 1970, quando viajou com Abdias Nascimento e Elisa Larkin Nascimento para diversas cidades norte-americanas.

Um ano antes de Lélia ir ao Estados Unidos, Abdias e Elisa viajaram para o Rio de Janeiro a convite da nova militância carioca. Foram, então, à Universidade Cândido Mendes, ainda localizada em Ipanema, onde se encontraram pela primeira vez com Lélia Gonzalez e também com outros militantes. Nesse encontro surgiu o convite para visitar os Estados Unidos:

> Foi o suficiente para iniciar-se uma correspondência intensa, que resultou na visita de Lélia a Búfalo em um final de abril com neve. O encontro foi riquíssimo. Abdias e Lélia, filhos de Oxum, a comparar infâncias mineiras – a comida temperada com coentro lhes trazia a lembrança da mãe – e a trocar ideias, pensamentos, experiências de militância. E enfrentamos a estrada, em várias cidades participamos de eventos em que ambos, Lélia e Abdias, davam conferências ou apresentavam trabalhos acadêmicos, conquistando corações e mentes para a causa afro-brasileira. Nenhum dos dois estava à vontade falando inglês, mas Lélia não queria tradutor. Preferia batalhar e errar antes de correr o risco de ver suas palavras mal interpretadas. Seu esforço de falar inglês, superando ali ao vivo os próprios limites, deixava a plateia emocionada. Formavam uma dupla incomparável. Tamanha força e dramaticidade de expressão comoviam para além da palavra, e muitas vezes os

aplausos irrompiam antes que a tradutora aqui pudesse dar o mínimo palpite... (Nascimento, E., 2004, p. 2)

A descrição acima se refere a uma das idas a cidade de Pittsburgh, onde Lélia Gonzalez participou de eventos acadêmicos importantes, como o IV Encontro da Associação de Estudos Latino-Americanos (Lasa, na sigla em inglês), no qual apresentou a comunicação "Cultura, etnicidade e trabalho: efeitos linguísticos e políticos da exploração da mulher negra". Na mesma ocasião, foi ao Encontro Anual da Associação de Estudos da Herança Africana, quando expôs o trabalho "Brazilian black youth and unemployment" [A juventude negra brasileira e a questão do desemprego]. Entre os dias 10 e 12 de maio, esteve no simpósio "A economia política do mundo negro", no Centro de Estudos Afro-americanos da Universidade da Califórnia (Ucla), ocasião em que apresentou o trabalho "A mulher negra na sociedade brasileira", posteriormente publicado no livro *O lugar da mulher,* organizado por Madel Luz.

Em visita ao centro de Estudos Porto-riquenhos da Universidade do Estado de Nova York, em Búfalo, onde Abdias lecionava e fora fundador da cadeira Culturas Africanas no Novo Mundo, conheceu Molefi Kete Asante, intelectual pan-africanista que, no ano seguinte, publicaria uma de suas obras de referência: *Afrocentricity* [Afrocentricidade] (1980). Além de muito amigo de Abdias, Asante também era professor na mesma instituição universitária.

Depois dessa primeira viagem, Lélia, sempre que possível, regressava aos Estados Unidos. E foi o que aconteceu em 1980: por ocasião de uma visita à Universidade da Califórnia, em Los

Angeles, participou do simpósio "Raça e classe no Brasil: novas questões e abordagens", promovido pelo Centro de Estudos Afro-americanos. Nesse encontro, apresentou a comunicação "The Unified Black Movement" [O Movimento Negro Unificado], posteriormente publicado no livro *Race, class and power in Brazil* [Raça, classe e poder no Brasil], organizado por Pierre-Michel Fontaine em 1985.

Em 1979, Gonzalez, passando antes pela Europa, foi para a África. Após contatos estabelecidos com Carlos Moore, intelectual cubano em exílio, hospedou-se em sua casa em Dacar – onde, aliás, foi várias vezes recebida por Moore e sua esposa, Shawna. Tudo indica, portanto, que o Senegal foi o primeiro país africano que Lélia conheceu. Moore recorda aquele primeiro contato:

> E, morando no Senegal durante vários anos, um dia recebi um telefonema de um grupo, de um casal progressista francês, pessoas engajadas, mais ligadas à igreja, protestantes, aquela coisa das igrejas protestastes que ajudam no movimento de libertação. Eu conhecia eles. [Então] me ligam desse país e me dizem que havia uma brasileira do movimento negro do Brasil [...] que estava vindo para Paris para ficar com eles, e que ela tinha vontade de ir pra África, queria visitar a África pela primeira vez. E eles me conheciam, queriam saber se eu podia agregá-la, se eu podia recebê-la. Falei: "Claro que sim".[19]

19. Entrevista realizada por Ana Maria Fellipe em Salvador, em 2005, e reproduzida neste livro com o consentimento do entrevistado e da entrevistadora.

Interessado no povo e nos processos culturais e políticos brasileiros, o intelectual cubano iniciou uma longa e profunda amizade com Lélia após sua primeira estadia em Dacar. É interessante observar que eles somente se encontraram fora de seus países de origem: tratava-se de uma aproximação de duas figuras diaspóricas que construíram sua amizade e seus princípios políticos numa espécie de retorno simbólico à sonhada terra-mãe: ele cubano e ela brasileira, ambos afrodescendentes.

De Dacar para o interior do continente africano, até Burkina Faso, antigo Alto Volta, Lélia viajou de carro na companhia de Shawna, afro-americana de quem se tornou amiga. Moore relembra que as duas viajaram por duas semanas pelo interior do Senegal e depois foram para Burkina Faso. Segundo ele, Lélia encantou-se com os vilarejos e com o contato travado com as mulheres africanas.

Presume-se que elas fizeram boa parte, senão todo o percurso de mais de 1.500 quilômetros entre Dacar e Uagadugu, capital de Burkina Faso, passando provavelmente por Bamaco, capital do Mali, um trajeto que trespassava antigas sociedades e culturas africanas, a exemplo da área do Império Sundiata (Mali). Certamente, passaram pelas savanas africanas, pelas antigas construções de adobe, porém elas tinham, segundo Carlos Moore, especial interesse na organização e no modo de vida das mulheres.

Nas viagens, Lélia costumava prolongar sua estadia para aproveitar intensamente as oportunidades, as redes, o apoio e ampliar seu horizonte de buscas intelectuais, culturais e políticas. Como apontam algumas pessoas próximas dela, em suas atividades escolares e acadêmicas Lélia contava com ajuda para substituí-la ou para justificar ausências mais longas. Essa demorada permanência em campo aproximou Lélia da prática antropológica, e é como antropóloga que muitas vezes ela é mencionada e reconhecida.

As viagens para o Senegal se intensificaram durante os anos 1980, quando Gonzalez passou a visitar regularmente o país, por conta de compromissos políticos e institucionais. Ela aproveitou essas ocasiões para estreitar relações com os amigos que fez por lá. Chegou a participar de delegações brasileiras envolvidas na criação do Memorial Gorée-Almadies, quando, junto com Abdias Nascimento, integrou o comitê internacional, presidido por Benedita da Silva.

Carlos Alberto Medeiros fez a cobertura de, pelo menos, duas dessas viagens nos anos de 1986 e 1987, onde foram realizadas entrevistas com o renomado historiador Joseph Ki-Zerbo, que já tinha publicado *L'historie de l'Afrique noire* [A história da África negra] e participado do Comitê Científico da Unesco para elaboração da coleção *História Geral da África*. A proposta do Memorial Gorée-Almadies era construir um monumento em homenagem aos africanos escravizados na ilha senegalesa, que havia sido um grande entreposto comercial na África Ocidental, erguido pelos portugueses no século XVI e disputado posteriormente pelos grandes impérios colonialistas europeus. A ilha foi tombada pela Unesco no ano de 1978. Desde então teve início um processo de reconhecimento internacional, contando com apoio de vários ativistas negros das Américas, da Europa e da África.

A experiência foi bastante significativa para os intelectuais e artistas que participaram dos eventos naquela pequena ilha, imprescindível na geopolítica da história moderna e imagem palpável dos horrores do tráfego escravagista. Hoje, Gorée é uma peça fundamental para a sustentação da memória dos descendentes da diáspora.

Essas viagens internacionais, espécie de arco de horizonte amplo, foram muito significativas para Lélia Gonzalez e para a construção do movimento negro brasileiro. Algumas até chegaram a ser relacionadas no artigo "O movimento negro na última década", no livro *Lugar de negro*, coautoria de Lélia com Carlos Hasenbalg. Entre 1979 e 1981, ela participou de eventos no Canadá e também em Nova York, Los Angeles e Pittsburgh. Foi ao Panamá, à França (Paris), à Itália (Veneza), à Suíça (Genebra) e à Finlândia. E realizou, ainda, palestras na África (Senegal, Burkina Faso e Mali).

Algumas viagens de Lélia Gonzalez tiveram caráter predominantemente ativista, enquanto outras ganharam uma dimensão mais acadêmica. Nestas, a intelectual apresentou comunicações ou discursos que mais adiante se refletiram em seus artigos. Carlos Moore recorda que, durante a ditadura militar, aquelas saídas do país também serviam para Lélia respirar outros ares: "Eram viagens de oxigenação".

A seguir, listamos várias viagens de Lélia Gonzalez, realizadas em menos de dez anos, entre 1979 e 1987 – com exceção dos anos de 1982 e 1986, nos quais ela estava em campanha eleitoral:

Ano	Evento	Cidade, país
1979	Conferência Mundial das Mulheres sobre Direitos Humanos e Missão, Conselho Mundial das Igrejas	Veneza, Itália Genebra, Suíça

Ano	Evento	Cidade, país
1979	Seminário "Democracia para o Brasil"	Nova York, Estados Unidos
	Seminário "Economia Política do Mundo Negro"	Los Angeles, Estados Unidos
1980	Conferência Alternativa da Década da Mulher	Copenhague, Dinamarca
	Encontro preparatório da Conferência da Década da Mulher	Genebra, Suíça
	II Congresso Negro das Américas	Cidade do Panamá, Panamá
	Seminário da ONU "A Mulher sob o *Apartheid*"	Montreal, Canadá Helsinque, Finlândia
1981	Conferência da ONU "Sanções contra a África do Sul"	Paris, França
	Seminário "Situação Política, Econômica e Social do Brasil"	Roma, Itália
1983	Participação, com Benedita da Silva, no encontro "A mulher, a Comunicação e o Desenvolvimento"	Roma, Itália
1984	Conferência Nacional Afro-Americana, Universidade do Estado de Morgan	Baltimore, Estados Unidos
1987	Conferência Internacional "Negritude, Etnicidade e Afroculturas das Américas"	Miami, Estados Unidos
	II Encontro de Oficinas de Mulheres das Américas	Cidade do Panamá, Panamá
	II Encontro Regional de Dawn/Mudar	La Paz, Bolívia

Com Abdias, Lélia participou da Conferência Internacional "Negritude, Etnicidade e Afroculturas das Américas", realizada em fevereiro de 1987 em Miami. O evento foi organizado por Carlos Moore, que à época era professor da Universidade Internacional da Flórida (FIU) e contou com a colaboração de Shwana Moore. A palestra de Lélia foi publicada postumamente no livro *African presence in the Americas* [A presença africana nas Américas] O artigo "Por un feminismo afrolatinoamericano", publicado na *Revista Isis Internacional* em 1988, é, em parte, o resultado das duas últimas viagens realizadas por Lélia Gonzalez pela América do Sul no final de 1987. No primeiro evento, realizado no Panamá, Gonzalez (1988, p. 140) observou que "as análises e discussões terminaram por derrubar barreiras – em reconhecimento do racismo pelas feministas – e preconceitos antifeministas por parte das ameríndias e *amefricanas* dos setores populares". No segundo, na Bolívia, ela deixou subentendido que era uma voz *amefricana* solitária a apontar as contradições do não reconhecimento das mulheres negras e da combinação entre o racismo e o sexismo:

> Foi, realmente, uma experiência extraordinária para mim, frente aos testemunhos francos e honestos por parte das latinas ali presentes, frente à questão racial. Saí dali revivificada, confiada de que uma nova era se abria para todas nós, mulheres da região. Mais que nunca, meu feminismo saiu fortalecido. (1988a, p. 140).

De fato, graças às viagens, sobretudo para fora do país, Lélia Gonzalez reconstruiu sua visão de África e da diáspora africana. Foi a partir daí que ela imprimiu maior densidade à sua negritude e ao seu feminismo com um horizonte transnacional, além de formular a categoria política e cultural de *amefricanidade* – que, de acordo com Viana (2006), aproxima-se bem mais das discussões contemporâneas relacionadas com a diáspora africana do que com o pan-africanismo.

As especificidades étnicas, religiosas, econômicas e políticas do continente americano foram observadas e registradas por Lélia em vários de seus escritos.

No texto "Uma viagem à Martinica", publicado em duas partes no *Jornal do MNU* em 1991, Lélia abordou o festival de dança e o carnaval, promovidos pela prefeitura de Le Marin, na pequena ilha das Antilhas. Compareceram ao evento delegações de Cuba, Haiti, República Dominicana e Brasil, países convidados a realizar apresentações nos quatros dias de exibição de atividades artísticas, religiosas e seminários, entre os dias 14 e 18 de agosto de 1991.

Da Martinica saíram grandes intelectuais que forjaram fortes correntes do pensamento negro na diáspora, particularmente contrários ao colonialismo. Um deles foi Aimé Césaire, importante poeta que criou, com Léopold Senghor e Léon Damas, o movimento político-literário de Negritude. Na visita de Lélia Gonzalez ao país, Césaire, então com 80 anos de idade, era prefeito de Fort-de-France.

O nome de Aimé Césaire era um ícone para a geração carioca de ativistas dos anos 1970 e 1980, bem como o ativismo político-cultural produzido pelo Teatro Experimental do Negro nas décadas de 1940 e 1950. Outro intelectual importante nesse sentido foi Frantz Fanon, crítico aguerrido do colonialismo.

Os escritos desse médico revolucionário, que chegou a lutar pela libertação da Argélia, faziam parte das leituras obrigatórias dos ativistas negros daquele período, principalmente o célebre livro *Pele negra, máscaras brancas.*

Bastante familiarizada com o pensamento de Fanon, Gonzalez teceu considerações sobre o autor, ressaltando a qualidade de seu livro mais influente no Brasil:

> Numa outra linha de pensamento, mas pondo o dedo na ferida da alienação do negro, encontra-se a dramática figura de Frantz Fanon, o jovem psiquiatra que se destacou na guerra da independência da Argélia. Crítico da noção de negritude, escreveu *Os condenados da terra* e *Pele negra, máscaras brancas*. Este último é uma das mais acuradas análises dos mecanismos psicológicos que induzem o colonizado a se identificar com o colonizador. Na sua perspectiva, a desalienação do negro está diretamente vinculada à tomada de consciência das relações socioeconômicas. Sua posição, crítica diante do que considerava como acomodação de seus conterrâneos para com a política assimilacionista francesa, o levou a exigir que após a sua morte fosse enterrado na Argélia. E assim foi feito. (1991a, p. 5)

Lélia também fez questão de deixar escrito que os grupos políticos com os quais esteve envolvida durante aquele festival faziam parte dos "setores politicamente mais avançados" da Martinica, que buscavam resistir ao processo de assimilação cultural. Nesse sentido, o festival tinha um perfil afirmativo no que diz respeito às diversas manifestações culturais de origem africana. As delegações convidadas eram compostas por grupos religiosos (com representantes do candomblé brasileiro e do vodu haitiano) e culturais (bloco afro Ylê Ayê e capoeiristas do Rio de Janeiro) que animavam o festival durante a noite. As delegações ainda puderam contar com artistas que expuseram quadros, objetos e artefatos religiosos. Além disso, o evento reuniu intelectuais e pesquisadores que realizaram palestras em torno do tema "Identidade e sincretismo religioso no Caribe e no Brasil".

Não eram poucas as semelhanças com o Brasil. No que diz respeito à religiosidade, e apesar de o catolicismo ser a religião oficial da Martinica, havia um conjunto de práticas conhecidas popularmente como *kenbwa*, que, na opinião de Lélia, eram parecidas com as da chamada "macumba" brasileira: "O *kenbwa* é algo a que as pessoas recorrem mas fingem não fazê-lo. Afinal, em uma sociedade católica não fica nada bem alguém declarar que tenha recorrido aos préstimos de um *kenbwaseur* ou macumbeiro" (1991a, p. 5).

Apesar das semelhanças, havia também com o que se espantar ou se maravilhar. A reação do público diante das apresentações do último dia de evento foi registrada pelo olhar atento de Gonzalez, que percebeu como as pessoas ficaram impressionadas com as apresentações, principalmente com a do Ilê Ayê: "O ritmo cadenciado e profundo, a linha melódica diferente, a graça e a leveza das evoluções do casal de bailarinos (lindíssimo), o traje e o modo de dançar do conjunto, deixou-os como que paralisados" (idem). Lélia também assistiu ao desfile carnavalesco martiniquense e registrou a alegria e a descontração, sentidas ao som dos ritmos caribenhos, realçando os aspectos regionais dos desfiles de rua, tão populares também no Brasil. "Aqui a Europa se tornou distante e o Caribe se impôs com força ancestral" (idem).

Para ela, a *ladjya*, músicas de trabalho cantadas no dialeto local e marcadas ao som do atabaque, fizeram os brasileiros sentir-se em casa, principalmente devido à semelhança que guardam com a capoeira, pois o *ladjya* também tem dança mesclada à luta.

A semelhança entre as manifestações culturais praticadas em diferentes regiões das Américas constituiu para Lélia o que mais tarde ela chamou de *amefricanidade*. O legado e a forma de resistência cultural, a passagem do conhecimento ancestral de uma geração para outra e a subversão negra dos códigos da cultura dominante (religião, língua, vestuário etc.) subsidiam, segundo Gonzalez, a categoria político-cultural da *amefricanidade*. Ideia, aliás, que foi apresentada e bastante debatida no simpósio da Martinica, sobretudo porque a exposição de Lélia abordou o papel da mulher na construção da *amefricanidade*. "A discussão pegou fogo", disse a autora, "tanto pelas adesões como pelas rejeições" (1991b, p. 8). Divergências à parte, o importante é que, no caminho de volta, ela sabia que aquele encontro tinha sido fundamental para expor suas ideias – e isso, além de ser um grande estímulo intelectual, enriquecia seu espírito.

CONSCIÊNCIA DE UMA *AMEFRICANA*

Embora hoje seja comum que uma ativista e intelectual de renome viaje para várias partes do país e do exterior, não acontecia o mesmo nos tempos de ditadura militar e de reorganização dos movimentos sociais. Os recursos eram parcos e parte das despesas era bancada pelos próprios militantes. Os movimentos e os partidos políticos recebiam financiamento de organizações estrangeiras. Porém, a hospedagem ficava por conta de ativistas ou de amigos.

Antes de Abdias Nascimento e Lélia Gonzalez, foram poucos os ativistas negros que tiveram condições de viajar para fora do país.

No caso de Lélia, os deslocamentos entre espaços sociais distintos, tanto em suas viagens pelo território nacional quanto pelo que denominamos atualmente Atlântico Negro (o espaço triangular entre Américas, Caribe, Europa e África), constituem a geografia dessa mulher negra diaspórica, inquieta. Uma mulher fora de lugar. Ou, mais precisamente, fora do lugar social destinado à mulher negra nas sociedades americanas (ou *amefricanas*) de passado escravista: o da escravizada, subalternizada, trabalhadora inferiorizada. Lélia não apenas rompeu com esse lugar, mas lutou para que as mulheres negras fizessem o mesmo.

Sempre criticando o "lugar de negro", isto é, o espaço social e as áreas de trabalho e de moradia inferiorizadas destinadas à população negra desde os tempos da escravidão, os artigos e falas públicas de Lélia deixam entrever sua análise desses espaços móveis ou fixos que foram apropriados por grupos negros.

Lélia foi migrante e viajou por boa parte do Brasil. Oriunda das classes populares, ascendeu socialmente e, quando quis ou foi preciso, deslocou-se para onde viviam as classes menos favorecidas. Ao mesmo tempo, lecionou em universidades privadas e públicas frequentadas pelas classes média e alta. Lélia ia do centro ao subúrbio, e até à periferia mais distante. No vasto Atlântico Negro, formou e manteve laços de amizade e de princípios políticos. Lélia Gonzalez não apenas observou: ao inventar o termo *amefricana*, construiu essa diáspora africana e se tornou parte dela.

Mais um detalhe importante é que em muitos artigos Lélia chamou algumas mulheres negras estadunidenses, caribenhas ou brasileiras de irmãs. Para várias coletividades negras, a linguagem do parentesco ritual aparece nas relações diárias, como no candomblé e em outras religiões de matriz africana em que as lideranças religiosas são chamadas de mães e pais. Os iniciados, de filhos – que, por sua vez, tratam-se de irmãs e irmãos. Essas expressões podem ser encontradas nos escritos e em outros registros feitos por Lélia Gonzalez nos anos 1980, quando ela começou a se aproximar do candomblé.

Uma de suas últimas viagens de que se tem registro ocorreu em setembro de 1991. Lélia foi ao I Encontro de Mulheres do MNU, ocorrido em Recife, que priorizou as temáticas de "Esterilização, machismo e por que falar de mulher negra" (*Jornal do MNU*, n. 19, p. 6).

Vale ressaltar que os homens negros puderam participar do evento, mas em alguns momentos em oficinas separadas, nas quais discutiram os mesmos temas que as mulheres. Depois, mulheres e homens voltaram a se encontrar e a debater em plenárias comuns. Lélia Gonzalez participou da mesa redonda "Por que mulher negra?" ao lado de Jurema Batista, representante do movimento popular e militante do PT. Lélia chamou a atenção da militância negra para o envolvimento com valores negro-africanos, especialmente com a espiritualidade – não necessariamente revestida de religiosidade. Ela também criticou uma parcela do movimento negro que, em imitação ao que acontecia nos Estados Unidos, se organizava e se politizava, mas acabava se afastando das comunidades de base.

Ainda em 1991, Lélia esteve em Salvador, quando, aos 56 anos, foi entrevistada por Jônatas Conceição da Silva. Num longo depoimento em que rememora sua vida e sua militância, ela admite que se entregou demais ao trabalho e à atuação política, inserindo-se em um universo que envolvia sacrifício pessoal, narcisismo, cobrança exagerada de si mesma e do outro:

> Eu vejo meu próprio caso [...], é uma autocrítica que eu estou fazendo também. Eu achava que tinha que estar em todas, me jogando loucamente, e meu projeto pessoal se perdeu muito, agora que eu estou catando os pedaços para poder seguir a minha existência enquanto pessoinha que sou. E a gente sai muito ferido e machucado dessa história toda. Machucado não só porque você investiu demais neste tipo de projeto, mas machucado também pelas porradas que outros lhe dão, não há dúvidas. A questão da militância tem que ter esse sentido, e aí nós temos que aprender com os nossos antigos, os africanos, esse sentido da sabedoria, esse sentido de saber a hora em que você vai interferir e como você vai interferir. (*Jornal do MNU*, 1991, p. 9)

Esse alerta de Lélia Gonzalez – reflexo do que pensava para si mesma naquele momento – baseava-se no comportamento que ela observava nos companheiros de militância, que não tinham condições de vida asseguradas (casa, trabalho etc.), dedicavam-se pouco à vida pessoal e ainda tinham problemas de ordem física ou mental, como era o caso de Beatriz Nascimento – que, segundo Lélia (1984, p. 43), "pagou muito caro por sua militância, por sua inserção em termos de movimento negro". Houve até casos de suicídio, como os cometidos por Eduardo Oliveira e Oliveira (1980) e Hamilton Cardoso (1999), amigos de Lélia e Beatriz.

Voltando ao tema de suas viagens nacionais e internacionais, Viana nos conta que Lélia Gonzalez desejava retomá-las. A última lembrança que Rafael Pinto, militante do movimento negro de São Paulo, guarda de Lélia é a de um encontro inesperado no Terminal Rodoviário Tietê, onde ela estava com malas nas duas mãos, indo em direção ao interior do estado de São Paulo para dar mais uma de suas palestras.

A *amefricana* queria alçar outros voos e consolidar seus pousos, equilibrando melhor a vida pessoal com a atuação pública. Todavia, não se tem conhecimento de nenhum outro deslocamento de Lélia até sua morte, ocorrida em 1994.

PARTE III

DEPOIS DE LÉLIA GONZALEZ

10. Movimentando-se com Lélia Gonzalez

Os anos que se passaram entre 1974 e 1991 foram de intensa atividade docente, ativista e intelectual na trajetória de Lélia Gonzalez. Nos últimos tempos, porém, ela passou por um processo de reflexão pessoal que – somado aos problemas de saúde – a fez diminuir o ritmo das atividades. Em sua última entrevista publicada, vemos uma Lélia que desejava reconstruir seu projeto pessoal após se dedicar intensamente a um projeto político. Para usar uma expressão dela, o preço pago parece ter sido alto demais.

Em 1992 ela emagreceu muito e, num primeiro momento, não consultou nenhum médico.[20] Ao visitar Lélia, Rubens, seu sobrinho, criado como filho, levou um choque ao encontrá-la

---

20. Para reconstituir o final da vida de Lélia Gonzalez, temos como referência o diálogo com as pessoas que lhe eram próximas, assim como o trabalho de Elizabeth Viana (2006), também composto com base em entrevistas.

naquele estado e a convenceu a procurar um médico. O diagnóstico: diabetes melito.

Devido à doença, o ritmo de trabalho de Lélia diminuiu. Ela ia à PUC uma ou duas vezes por semana e colaborava com Hilton Cobra, ator negro que dirigia o Centro Cultural José Bonifácio. Na casa dela as visitas também diminuíram. Lélia passou a ser assistida mais de perto pela sobrinha, Eliane de Almeida (Lili) – que morava com ela. Ana Felippe, sua velha amiga, também esteve mais próxima nesse período.

Como Lélia estava debilitada, Rubens, Januário Garcia e outras pessoas próximas a Lélia a levavam à faculdade, ao médico, ao banco... Januário lembra que, semelhante ao que aconteceria alguns anos depois com o cantor Milton Nascimento, Lélia passou por situações constrangedoras. Alguns, supondo que ela estava com aids, evitavam ter contato direto com ela:

> Algumas pessoas, assim que encontravam com ela [na rua], diziam: "Oi, Lélia! O que foi?" "Estou meio doente, com um problema de diabetes..." "Diabetes, Lélia? Você tem certeza? Já foi ao médico?" Uma coisa assim meio insinuante. Até eu ficava constrangido. Isso não foi uma vez só, não. Foram várias vezes, de ela ir cumprimentar as pessoas e até fingirem que não a viram. E estendiam só a mão para cumprimentar. Ela sofreu muito isso. [...] Ao mesmo tempo, a esperança dela era [se] recuperar. (Entrevista, fevereiro, 2010)

Para uma figura pública altamente visível e exuberante como Lélia, ver-se e ser vista fragilizada provocou reações variadas.

Talvez nas insinuações, nas entrelinhas, houvesse uma condenação sumária à uma mulher negra, livre, feminista. É conhecido o preconceito contra as feministas, tratadas tanto como "libertinas" quanto "mal amadas", condenadas a um tipo específico de solidão, afetiva e social ao mesmo tempo.

A incompreensão e o afastamento de pessoas que estavam ou podiam ser próximas parecem ter atingido Lélia Gonzalez naquela hora difícil. Parafraseando bell hooks (2000), se o amor cura, o desamor adoece – ou piora o quadro da pessoa enferma.

Rubens nos contou que ela "estava muito mais reflexiva do que intransigente. Estava sempre falando da vida. Estava muito mais ponderada nas colocações". Segundo ele, Lélia continuou próxima do candomblé (sem ter se iniciado) e chegou a fazer incursões espiritualistas, como "terapias de regressão".

No esforço de retomada de seus planos, Lélia Gonzalez iniciou um doutorado em Antropologia na Universidade de São Paulo, que chamaríamos hoje de "doutorado direto", pois ela não havia concluído o mestrado em Comunicação na Universidade Federal do Rio de Janeiro. Isso demonstra sua vontade de continuar aprofundando seus estudos na interpretação da cultura brasileira ou, talvez, afro-brasileira.

Muito voltada para a atividade docente, ela conseguiu se eleger chefe do Departamento de Sociologia e Política da PUC-Rio em maio de 1994. Como diz Luiza Bairros, "para o único cargo que a vi desejar durante nosso período de convivência" (Bairros, 1999, p. 365). Após mais de duas décadas como professora universitária, com cerca de quinze de militância negra e feminista, reconhecida no movimento social – e talvez menos no espaço acadêmico –, pode ser que Lélia quisesse enfatizar sua carreira docente ou experimentar novos campos de atuação. A posse foi festejada, e sua saúde deu sinais de recuperação.

No dia 13 de junho daquele mesmo ano, dois ativistas negros cariocas foram assassinados ao sair de uma festa: Hermógenes de Almeida e Reinaldo Guedes Miranda, assessores da então vereadora Jurema Batista. Hermógenes, que também era poeta e, junto com Lélia, fez parte da assessoria da vereadora Benedita da Silva, tinha participado da comemoração de sua posse na PUC. Lélia foi ao velório dos rapazes e discursou na Câmara Municipal do Rio de Janeiro. Essa foi sua última aparição pública.

Naquele junho, Lélia se encontrou regularmente com Hilton Cobra para discutir a história e a cultura africanas. O foco das conversas era as Candaces, rainhas dos reinos de Kush e Núbia, ao sul do Egito. As pesquisas dos dois militantes sobre o tema serviriam de base a uma peça da futura Companhia dos Comuns. Lélia, conhecedora da obra de pesquisadores africanos, estava interessada na tradução de obras de Cheikh Anta Diop, conhecido por seus estudos referentes ao Egito Antigo como civilização negra. Esse projeto ficou inconcluso.

Apreciadora de futebol, no sábado de 9 de julho Lélia deixou de ver o jogo do Brasil contra a Holanda na copa que se realizava nos Estados Unidos, pois queria evitar emoções fortes. Preferiu recolher-se ao quarto e descansar. A partida das quartas de final aconteceu entre 16h30 e 18h30 no horário brasileiro, e o time verde e amarelo ganhou de 3 × 2. No dia seguinte, Lili percebeu que Lélia dormia mais que o normal e, ao entrar no quarto da tia, constatou que estava morta. Assim como tinha acontecido com sua mãe e com alguns irmãos, Lélia, aos 59 anos de idade, foi vítima de infarto do miocárdio.

O amigo Hilton Cobra preparou o corpo de Lélia para o sepultamento. Lili, Januário e Ana Felippe também estiveram presentes naquela hora. Parentes, amigos e conhecidos foram os primeiros a ter consciência da perda da amiga, tia, mãe e avó "de criação", mas também professora, militante e intelectual. Ela foi enterrada no cemitério do Catumbi, na cidade do Rio de Janeiro.

A morte de Lélia Gonzalez foi registrada e sentida por seus pares do movimento negro, do movimento feminista e de uma parte da esquerda intelectual brasileira. Pouco mais de seis meses depois, em janeiro de 1995, Beatriz Nascimento foi assassinada pelo marido de uma amiga que ela estava defendendo. Lélia e Beatriz deixavam um vazio e ao mesmo tempo se tornavam duas das principais referências de ativismo negro feminino. Era um ano fundamental para a ação pública do movimento negro brasileiro, em face dos 300 anos de rememoração da morte de Zumbi dos Palmares.

Como foi dito na apresentação, Lélia foi homenageada por pares e admiradores das mais diversas maneiras. Muitas coletividades negras e feministas empenharam-se em cultivar e manter viva sua memória, seu pensamento, sua contribuição aos movimentos com os quais ela esteve envolvida organicamente.

Além de evocada nos círculos da militância negra e feminista, Lélia Gonzalez é lida e comentada em cursos acadêmicos de graduação e pós-graduação no Brasil e em países de língua inglesa, espanhola e francesa.

Professora, autora, pesquisadora, intelectual, militante. Lélia pertenceu ao mundo popular e ao mundo acadêmico, aproximando-os sem nunca se fechar no espaço universitário. Transitou entre circuitos negros e brancos sem perder de vista seu horizonte racial.

Como dissemos, não vimos predestinação em sua trajetória. Ela não veio pronta; fez-se, tornou-se. Lélia de Almeida saiu do "lugar de negro", tornou-se mulher negra, tornou-se Lélia Gonzalez, viajou por lugares negros, pensou, escreveu, falou e disse. E nós, aproximando-nos dela, vimos muito, imaginamos mais ainda, dissemos o que foi possível dizer. Esperamos que o pensamento e o discurso dela continuem explicando o mundo que se quer interpretar e transformar.

Bibliografia

ABUD, Kátia. "Currículos de história e políticas públicas: os programas de história do Brasil na escola secundária". In: BITTENCOURT, Circe (org.). O *saber histórico na sala de aula*. São Paulo: Contexto, 2006, p. 28-41.

ALBERTI, Verena; PEREIRA, Amilcar Araújo (orgs.). *Histórias do movimento negro no Brasil: depoimentos ao CPDOC*. Rio de Janeiro: Pallas/ CPDOC-FGV, 2007.

ALMEIDA, Maria Hermínia Tavares de; WEIS, Luiz. "Carro zero e pau-de-arara: o cotidiano da oposição de classe média ao regime militar". In: SCHWARCZ, Lilia. M. (org). *História da vida privada no Brasil: contrastes da intimidade contemporânea*. São Paulo: Companhia das Letras, 2007, p. 319-409.

ANDREWS, George. *Negros e brancos em São Paulo* (1888-1988). São Paulo: Edusc, 1998.

BAIRROS, Luiza. "Lembrando Lélia Gonzalez". *Afro-Ásia*, Salvador, n. 23, 1999, p. 347-68.

BARRETO, Raquel Andrade. *Enegrecendo o feminismo ou feminizando a raça: narrativas de libertação em Angela Davis e Lélia Gonzalez*. 2005. 128 f. Dissertação (mestrado em História) – Departamento de História da Pontifícia Universidade Católica do Rio de Janeiro, Rio de Janeiro (RJ).

BASSANEZI, Carla. "Mulheres dos anos dourados". In: DEL PRIORE, Mary (org.). *História das mulheres no Brasil.* São Paulo: Companhia das Letras, 2006, p. 607-39.

BORGES, Rosane. *Sueli Carneiro.* São Paulo: Selo Negro, 2009 (Coleção Retratos do Brasil Negro).

BRASIL. *Lei orgânica do ensino secundário.* Decreto-lei n. 4.244, de 9 de abril de 1942.

CARNEIRO, Sueli; SANTOS, Thereza. "Mulher negra". In: CARNEIRO, Sueli; SANTOS, Thereza; COSTA, Albertina Gordo de Oliveira. *Mulher negra/ política governamental e a mulher.* São Paulo: Nobel/Conselho Estadual da Condição Feminina, 1985, p. 1-54.

CARVALHO, Delgado; CASTRO, Therezinha. *Geografia humana (política e econômica).* Rio de Janeiro: Conselho Nacional de Geografia, 1963.

CARVALHO, José Murilo. *Forças Armadas e política no Brasil.* Rio de Janeiro: Zahar, 2005.

CONTINS, Márcia. *Lideranças negras.* Rio de Janeiro: Aeroplano, 2005.

COSTA, Teresa Cristina N. Araújo. "Caminhando contra o vento – Notas sobre a candidatura de Lélia Gonzalez". *Comunicações Iser*, Rio de Janeiro, ano 1, n. 3, 1982, p. 43.

CUNHA, Ana Cláudia da. *O quilombo de Candeia: um teto para todos os sambistas.* 2009. 124 f. Dissertação (mestrado em História, Política e Bens Culturais) – Centro de Pesquisa e Documentação de História Contemporânea do Brasil (CPDOC), Fundação Getulio Vargas, Rio de Janeiro (RJ).

DOMINGUES, Petrônio. "Movimento negro brasileiro: alguns apontamentos históricos". *Tempo*, Niterói, v. 12, n. 23, 2007, p. 100-22.

______. *A insurgência de ébano: a história da Frente Negra Brasileira (1931-1937).* 2005. 341 f. Tese (doutorado em História) – Faculdade de Filosofia, Letras e Ciências Humanas, Universidade de São Paulo, São Paulo (SP).

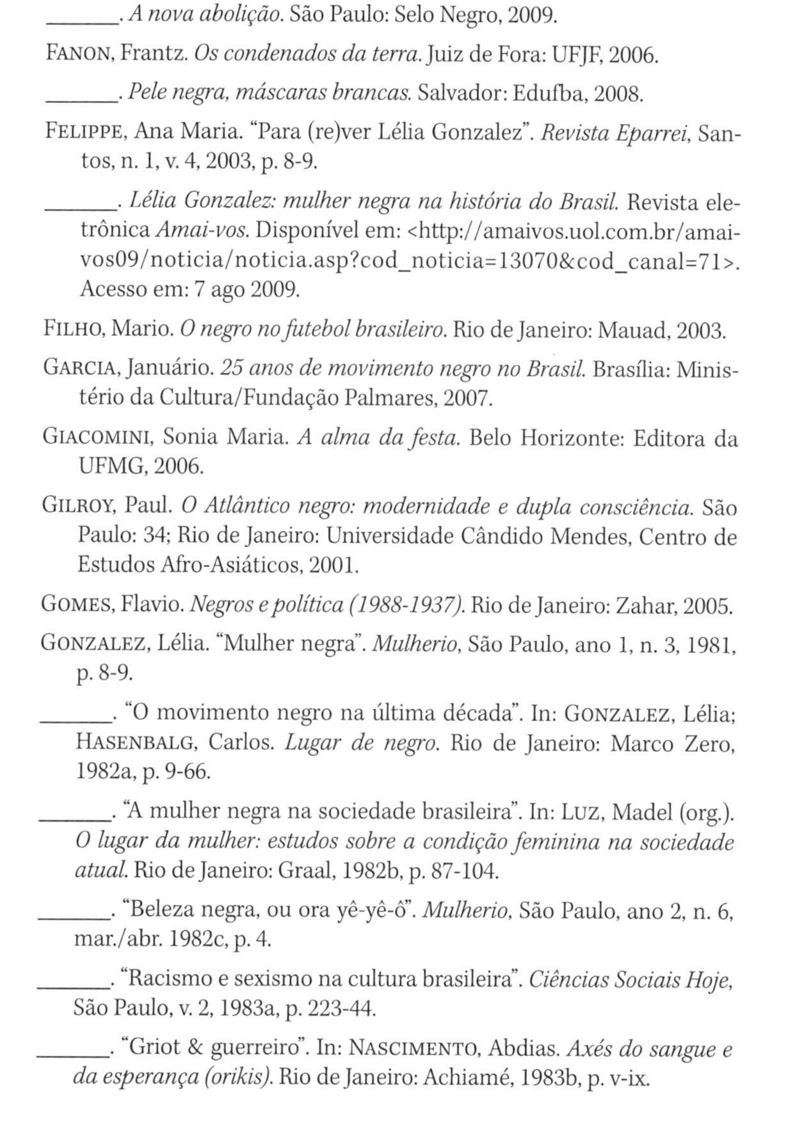

______. *A nova abolição*. São Paulo: Selo Negro, 2009.

Fanon, Frantz. *Os condenados da terra*. Juiz de Fora: UFJF, 2006.

______. *Pele negra, máscaras brancas*. Salvador: Edufba, 2008.

Felippe, Ana Maria. "Para (re)ver Lélia Gonzalez". *Revista Eparrei*, Santos, n. 1, v. 4, 2003, p. 8-9.

______. *Lélia Gonzalez: mulher negra na história do Brasil*. Revista eletrônica *Amai-vos*. Disponível em: <http://amaivos.uol.com.br/amaivos09/noticia/noticia.asp?cod_noticia=13070&cod_canal=71>. Acesso em: 7 ago 2009.

Filho, Mario. *O negro no futebol brasileiro*. Rio de Janeiro: Mauad, 2003.

Garcia, Januário. *25 anos de movimento negro no Brasil*. Brasília: Ministério da Cultura/Fundação Palmares, 2007.

Giacomini, Sonia Maria. *A alma da festa*. Belo Horizonte: Editora da UFMG, 2006.

Gilroy, Paul. *O Atlântico negro: modernidade e dupla consciência*. São Paulo: 34; Rio de Janeiro: Universidade Cândido Mendes, Centro de Estudos Afro-Asiáticos, 2001.

Gomes, Flavio. *Negros e política (1988-1937)*. Rio de Janeiro: Zahar, 2005.

Gonzalez, Lélia. "Mulher negra". *Mulherio*, São Paulo, ano 1, n. 3, 1981, p. 8-9.

______. "O movimento negro na última década". In: Gonzalez, Lélia; Hasenbalg, Carlos. *Lugar de negro*. Rio de Janeiro: Marco Zero, 1982a, p. 9-66.

______. "A mulher negra na sociedade brasileira". In: Luz, Madel (org.). *O lugar da mulher: estudos sobre a condição feminina na sociedade atual*. Rio de Janeiro: Graal, 1982b, p. 87-104.

______. "Beleza negra, ou ora yê-yê-ô". *Mulherio*, São Paulo, ano 2, n. 6, mar./abr. 1982c, p. 4.

______. "Racismo e sexismo na cultura brasileira". *Ciências Sociais Hoje*, São Paulo, v. 2, 1983a, p. 223-44.

______. "Griot & guerreiro". In: Nascimento, Abdias. *Axés do sangue e da esperança (orikis)*. Rio de Janeiro: Achiamé, 1983b, p. v-ix.

______. "Mulher negra". *Afrodiáspora*, Rio de Janeiro, Ipeafro, v. 3, n. 6/7, 1985, p. 94-104.

______. *Festas populares no Brasil.* Rio de Janeiro: Index, 1987.

______. "Por un feminismo afrolatinoamericano". *Isis Internacional,* Santiago, v. IX, jun. 1988a, p. 133-41.

______. "A categoria político-cultural de amefricanidade". *Tempo Brasileiro,* Rio de Janeiro, n. 92/93, 1988b, p. 69-82.

______. "Nanny". *Revista Humanidades*, Brasília, v. 17, ano IV, 1988c, p. 23-5.

______. "Viagem à Martinica". *Jornal do MNU,* São Paulo, n. 20, set./out. 1991a, p. 5.

______. " Viagem à Martinica I". *Jornal do MNU,* São Paulo, n. 21, nov./dez, 1991b p. 8

GORENDER, Jacob. *A escravidão reabilitada.* São Paulo: Ática, 1990.

GUIMARÃES, Antonio Sérgio. "A questão racial na política brasileira (os últimos quinze anos)". *Tempo Social,* São Paulo, v. 13, n. 2, nov. 2001, p. 121-42.

GUIMARÃES, Antonio Sérgio; MACEDO, Marcio. "Diário Trabalhista e democracia racial negra dos anos 1940". *Dados – Revista de Ciências Sociais*, Rio de Janeiro, v. 51, n. 1, 2008, p. 143-82.

HANCHARD, Michael. *Orfeu negro e o poder: movimento negro no Rio e São Paulo (1945-1988).* Rio de Janeiro: EdUerj, 2001.

HOOKS, bell. "Intelectuais negras". *Revista Estudos Feministas*, Rio de Janeiro, v. 3, n. 2, 1995, p. 464-78.

________. "Vivendo de amor". In: WERNECK, Jurema; MENDONÇA, Maisa; WHITE, Evelyn C. (orgs.). *O livro da saúde das mulheres negras: nossos passos vêm de longe.* Rio de Janeiro, Pallas/Criola, 2000, p. 111-5.

INSTITUTO BRASILEIRO DE GEOGRAFIA E ESTATÍSTICA. Recenseamento Geral do Brasil 1940. Disponível em: <http://biblioteca.ibge.gov.br/visualizacao/monografias/GEBIS%20-%20RJ/CD1940/Censo%20Demografico%201940_pt_XIII_t1_MG.pdf>. Acesso em: 25 dez. 2009.

KÖSSLING, Karin Sant'Anna. *As lutas antirracistas de afrodescendentes sob vigilância do Deops/SP (1964-1983)*. 2007. 314 f. Dissertação (mestrado em História) – Faculdade de Filosofia, Letras e Ciências Humanas da Universidade de São Paulo, São Paulo (SP).

LOPES, Helena Theodoro. *Mito e espiritualidade: mulheres negras*. Rio de Janeiro: Pallas, 1996.

LOPES, Nei. *Enciclopédia brasileira da diáspora africana*. São Paulo: Selo Negro, 2004.

LOURO, Guacira Lopes. "Mulheres na sala de aula". In: DEL PRIORE, Mary (org.). *História das mulheres no Brasil*. São Paulo: Companhia das Letras, 2006, p. 443-81.

MAIA, Adréia Casa Nova. "Memórias operárias do Estado Novo: a cultura política de mineiros e ferroviários de Minas Gerais e sua luta por direitos". *Virtú*, Juiz de Fora, v. 7, 2008, p. 1-15.

NASCIMENTO, Abdias. *O genocídio do negro brasileiro: processo de um racismo mascarado*. Rio de Janeiro: Paz e Terra, 1978.

NASCIMENTO, Beatriz. *Textos e narração de Ori*. Transcrição (mimeo), 1989.

__________. "Maria Beatriz Nascimento – Pesquisadora, 29 anos". In: COSTA, Haroldo. *Fala, crioulo*. Rio de Janeiro: Record, 1982, p. 194-8.

NASCIMENTO, Elisa Larkin. "Lélia Gonzalez: mulher negra soberana". 2004. Disponível em <http://www.leliagonzalez.org.br/material/Elisa_Larkin_Lelia_negra_soberana.pdf>. Acesso em: 10 ago. 2009.

NASCIMENTO, Elisa Larkin; NASCIMENTO, Abdias. "Reflexões sobre o movimento negro no Brasil (1938-1997)". In: GUIMARÃES, Antônio Sérgio; HUNTLEY, Lynn. *Tirando a máscara*. Rio de Janeiro: Paz e Terra, 2000.

PENNA, Lincoln de Abreu. "O movimento estudantil de 1968 e as ciências sociais". *Mediações*, v. 13, n. 1-2, jan./jun. e jul./dez. 2008, p. 54-73.

PEREIRA, Carlos Alberto M.; HOLLANDA, Heloisa Buarque de. *Patrulhas ideológicas*. São Paulo: Brasiliense, 1979, p. 202-12.

PRETI, Dino. *A gíria e outros temas*. São Paulo: Edusp, 1984.

RATTS, Alex. *Eu sou Atlântica: sobre a trajetória de vida de Beatriz Nascimento.* São Paulo: Imprensa Oficial/Instituto Kuanza, 2007.

RIOS, Flavia. *A institucionalização do movimento negro contemporâneo.* 2008. 185 f. Dissertação (mestrado em Sociologia) – Faculdade de Filosofia, Letras e Ciências Humanas da Universidade de São Paulo, São Paulo (SP).

________. "Um pensamento feminista negro no Brasil: a produção de Lélia Gonzalez". Comunicação apresentada no Colóquio "Feminismo negro: Lélia Gonzalez e Angela Davis". Núcleo de Estudos da Mulher e Relações Sociais de Gênero da Universidade de São Paulo, 2007.

RODRIGUES, Ana Maria. *Samba negro, espoliação branca.* São Paulo: Hucitec, 1984.

RUFINO, Joel. "O movimento negro e crise brasileira". *Revista Política e Administração,* Rio de Janeiro, v. 2, 1985, p. 285-308.

______. "Memorial Zumbi". *Revista Carta,* Brasília, n. 13, 1994, p. 171-82.

SANTOS, Ivair Augusto Alves dos. *O movimento negro e o Estado (1983-1987): o caso do Conselho de Participação e Desenvolvimento da Comunidade Negra no Governo de São Paulo.* São Paulo: Cone/Prefeitura da Cidade de São Paulo, 2006.

SCHUMAHER, Schuma; BRAZIL, Érico Vital (orgs.). *Dicionário mulheres do Brasil: de 1500 até a atualidade.* Rio de Janeiro: Zahar, 2000.

SILVA, Joselina. "A União dos Homens de Cor: aspectos do movimento negro dos anos 40 e 50". *Estudos Afro-Asiáticos,* ano 25, n. 2, 2003, p. 215-35.

SILVEIRA, Oliveira. "Vinte de novembro: história e conteúdo" In: SILVA, Petronilha Beatriz Gonçalves; SILVÉRIO, Valter Roberto (orgs.). *Educação e ações afirmativas: entre a injustiça simbólica e a injustiça econômica.* Brasília: Inep, 2003, p. 23-42.

SOUZA, Neusa Santos. *Tornar-se negro.* Rio de Janeiro: Graal, 1983.

VIANA, Elizabeth do Espírito Santo. *Relações raciais, gênero e movimentos sociais: o pensamento de Lélia Gonzalez (1970-1990).* 2006. 247 f. Dissertação (mestrado em História Comparada) – Instituto de Filosofia e Ciências Sociais da Universidade Federal do Rio de Janeiro, Rio de Janeiro (RJ).

Filmes

Abolição (longa-metragem documental, 160 minutos), direção de Zózimo Bulbul, 1988.

A marcha negra (documentário, 7 minutos e 30 segundos), Enúgabarijo Comunicações, Projeto Acervo Digital de Cultura Negra (Cultne), 1988.

Projeto Afromemória – 21 anos do movimento negro (documentário, 16 minutos), direção de Filo Filho e narração de Carlos Alberto Medeiros, 1989.

Projeto Perfil do Pensamento Brasileiro – Lélia Gonzalez (documentário, 111 minutos), direção de Milton Alencar Júnior, 1988.

Apêndice – Lélia de Almeida Gonzalez: formação, atuação e publicações[21]

Formação acadêmica/titulação

- 1954-1958: bacharelado e licenciatura em História e Geografia – Universidade do Estado da Guanabara (atual Universidade Estadual do Rio de Janeiro, Uerj).
- 1959-1962: bacharelado e licenciatura em Filosofia – Universidade do Estado da Guanabara (atual Universidade Estadual do Rio de Janeiro, Uerj).
- Mestranda em Comunicação – Universidade Federal do Rio de Janeiro (UFRJ).
- Doutoranda em Antropologia Social – Universidade de São Paulo (USP).

21. Elaborado por Alex Ratts e Flavia Rios com base em *Lélia Gonzalez – Ação e pensamento* (www.leliagonzalez.org.br) e em Viana, 2006; Barreto, 2005; e Bairros, 2000. As informações foram complementadas com pesquisa em acervos públicos.

Atuação profissional universitária

- 1963 -?: professora das Faculdades de Filosofia de Campo Grande (Feuc).
- Anos 1970: professora da Universidade Gama Filho.
- 1973-1974: vice-diretora da Faculdade de Comunicação das Faculdades Integradas Estácio de Sá.
- 1973-1974: coordenadora do Departamento de Estudos e Pesquisas do Centro Cultural das Faculdades Integradas Estácio de Sá.
- 1974-1975: diretora do Departamento de Comunicação das Faculdades Integradas Estácio de Sá.
- 1978-1994: professora da Pontifícia Universidade Católica do Rio de Janeiro (PUC-Rio).
- 1987-1989: diretora do Planetário da Gávea.
- 1994: chefe do Departamento de Sociologia e Política da Pontifícia Universidade Católica do Rio de Janeiro (PUC-Rio).

Atuação política

- 1976-1978: membro da assessoria política do Instituto de Pesquisas das Culturas Negras (IPCN). Rio de Janeiro (RJ).
- 1978-1982: membro da comissão executiva nacional do Movimento Negro Unificado (MNU).
- 1981-1984: membro do Diretório Nacional do Partido dos Trabalhadores (PT).
- 1981-1986: militante do PT.
- 1982: candidata a deputada federal pelo PT. Eleita primeira suplente.
- 1983: fundadora e Coordenadora do Colegiado do Nzinga/ Coletivo de Mulheres Negras. Rio de Janeiro (RJ).

- 1983-1984: assessora política da vereadora Benedita da Silva (PT-RJ). Câmara Municipal do Rio de Janeiro (RJ).
- 1985-1989: membro do conselho deliberativo do Conselho Nacional dos Direitos da Mulher.
- 1986: candidata a deputada estadual pelo PDT-RJ. Eleita primeira suplente.

Atividades culturais

- 1977: membro da equipe de entrevistadores do programa *1977*. TV Educativa. Rio de Janeiro (RJ).
- 1979: Coautora, com Candeia, do enredo "Noventa anos de Abolição". Grêmio Recreativo de Arte Negra e Escola de Samba Quilombo. Carnaval do Rio de Janeiro (RJ).
- 1979-1981: membro do conselho consultivo e da diretoria do departamento feminino do Grêmio Recreativo de Arte Negra e Escola de Samba Quilombo. Rio de Janeiro (RJ).
- 1982: membro do conselho deliberativo do Memorial Zumbi (Serra da Barriga, AL). Atuação em Brasília (DF).
- 1982: autora do enredo "A Revolta dos Malês", para o Grêmio Recreativo e Bloco Carnavalesco Mocidade dos Guararapes. Carnaval do Rio de Janeiro (RJ).
- 1982: membro da Comissão Julgadora do Desfile Oficial das Escolas de Samba. Grupo 1-B. Rio de Janeiro (RJ).
- 1982: membro da Comissão Julgadora da I Noite da Beleza Negra. Grupo Afro Agbara Dudu. Rio de Janeiro (RJ), 30 de julho.
- 1983: membro da comissão julgadora da IV Noite da Beleza Negra, promoção Bloco Afro Ylê Ayiê. Salvador (BA), 29 de janeiro.

- 1984: membro da equipe do filme *Quilombo*, de Cacá Diegues.

Membro de corpo editorial

- 1974-1975: editora assistente na Editora Rio Sociedade Cultural Ltda. Rio de Janeiro (RJ).
- 1979: colaboradora da edição especial sobre cultura negra viva da *Revista Artefato*. Conselho Estadual de Cultura do Estado do Rio de Janeiro, n. 10, ano II.
- 1980: colaboradora da edição sobre o artista negro da *Revista Módulo*, n. 58, abr./maio.
- 1981-1982: colaboradora do jornal *Mulherio*. São Paulo (SP).
- 1994: membro do conselho editorial da Editora da Universidade do Estado do Rio de Janeiro (EdUerj).

Títulos e indicações

- 1981: título de uma das dez mulheres do ano, concedido pelo Conselho Nacional da Mulher Brasileira.
- 1985: indicada para o Ministério da Cultura.

Publicações

Livros publicados (autoria ou coautoria)

- 1982: *Lugar de negro*. Coautoria com Carlos A. Hasenbalg. Rio de Janeiro: Marco Zero (Coleção Dois Pontos).
- 1987: *Festas populares no Brasil*. Rio de Janeiro: Index.

Capítulos de livros publicados

- 1981: "Racismo e sexismo na cultura brasileira". In: KEMPER, Anna Katrin (coord.). *Psicanálise e política*. Rio de Janeiro: Editora Clínica Social de Psicanálise, p. 155-80.

- 1982: "A mulher negra na sociedade brasileira". In: LUZ, Madel (org.). *Lugar da mulher: estudos sobre a condição feminina na sociedade atual.* Rio de Janeiro: Graal, p. 87-106.
- 1983: "Racismo e sexismo na cultura brasileira". In: SILVA, Luiz Antônio Machado *et al. Ciências sociais hoje 2: movimentos sociais urbanos, minorias étnicas e outros estudos.* Brasília: Anpocs, p. 223-44.
- 1985: "The Unified Black Movement: a new stage in black political mobilization". In: FONTAINE, Pierre-Michel (org.). *Race, class and power in Brazil.* Los Angeles: Center for Afro-American Studies, p. 120-34.
- 1995: "The black woman in Brazil". In: MOORE, Carlos (org.). *African presence in the Americas.* Nova Jersey: African World Press, p. 313-28.

Artigos publicados em periódicos

- 1978: "Qual o lugar da mulher negra enquanto força de trabalho?" Instituto Universitário de Pesquisa do Estado do Rio de Janeiro (Iuperj). Rio de Janeiro (mimeo).
- 1983: "The Brazilian support to the Namibian cause: difficulties and possibilities". *Afrodiáspora*, São Paulo, ano 1, n. 2, maio/set., p. 24-33.
- 1983: *La femme noir dans la société brésilienne. Recherche, Pédagogie et Culture*, Paris, n. 64. out./dez., p. 33-6.
- 1985: "Mulher negra". *Afrodiáspora*, Rio de Janeiro, Ipeafro, v. 3, n. 6/7, abr./dez., p. 94-104.
- 1988: "Nanny". *Humanidades*, Brasília, v. 17, ano IV, p. 23-5.
- 1988: "Por un feminismo afrolatinoamericano". Santiago, *Revista Isis Internacional*, v. 9, p. 133-41.

- 1988: "A categoria político-cultural de amefricanidade". *Tempo Brasileiro*, Rio de Janeiro, n. 92/93, jan./jun., p. 69-82.
- 1994: "Mulher negra". *Carta*, Brasília, n. 13, p. 171-82.

Textos em jornais de notícias/revistas

- 1981: "A questão negra no Brasil". *Cadernos Trabalhistas*. São Paulo, Global, p. 60-6.
- 1981: "Mulher negra, essa quilombola". *Folha de S.Paulo*, São Paulo, 22 nov., Caderno Folhetim, p. 4.
- 1981: "Mulher negra". *Mulherio*, São Paulo, ano 1, n. 3, p. 4.
- 1982: "Beleza negra, ou ora yê-yê-ô". *Mulherio*, São Paulo, ano 2, n. 6, mar./abr., p. 4.
- 1982: "E a trabalhadora negra, cumé que fica?" *Mulherio*, São Paulo, ano 2, n. 7, mai./jun. p. 4.
- 1983: "Racismo por omissão". *Folha de S. Paulo*, São Paulo, 13 de agosto, Seção Tendências e debates, p. 3.
- 1985: "Para as minorias, tudo como dantes...". *Revista Lua Nova*, São Paulo, Brasiliense, v. 1, n. 4, jan./mar, p. 32-3.
- 1987: "O terror nosso de cada dia". *Raça e Classe*, Brasília, ano 1, n. 2, ago./set., p. 8.
- 1988: "A importância da organização da mulher negra no processo de transformação social". *Raça e Classe*, ano 2, n. 5, nov./dez., p. 2.
- 1988: "As amefricanas do Brasil e sua militância". *Maioria Falante*, Rio de Janeiro, v. 7, maio/jun., p. 5.
- 1991: "Uma viagem à Martinica – I", *Jornal MNU*, n. 20, out./dez, p. 5.
- 1992: "Uma viagem à Martinica – II", *Jornal MNU*, n. 21, jan./mar, p. 8.

Comunicações apresentadas em eventos

- 1976: "A eficácia simbólica". Seminário sobre o impacto da anestesia e seus efeitos. Sociedade Brasileira de Anestesiologia. Rio de Janeiro.
- 1979: "Cultura, etnicidade e trabalho: efeitos linguísticos e políticos da exploração da mulher negra". Pittsburgh, Pensilvânia (EUA), Latin-American Studies Association (mimeo).
- 1979: "Brazilian black youth and unemployment". Annual Meeting of the African Heritage Studies Association, Pittsburgh, Pensilvânia (EUA) (mimeo).
- 1979: "The role of black woman in Brazilian society: an economic and political approach". In: Spring Symposium The Political Economy of the Black World. Center for Afro-American Studies. University of California at Los Angeles (Ucla). Los Angeles (EUA) (mimeo).
- 1979: "Racism and its effects in Brazilian society". Women's Conference on Human Rights and Mission, Veneza (Itália)/ Genebra (Suíça). World Council of Churches Document.
- 1980: "The Unified Black Movement". Symposium on Race and Class in Brazil: New Issues and Approaches. Center for Afro-American Studies. University of California at Los Angeles (Ucla). Los Angeles (EUA).
- 1980 : "L'exportation du modèle raciste de l'Afrique du Sud". Woman under Apartheid. Helsinque, Finlândia, ONU.
- 1980: "A questão do negro". In: Anais da VI Jornada de Educação. Florianópolis. Centro de Ciências da Educação. Universidade Federal de Santa Catarina (SP).
- 1980: "Racismo e sexismo na cultura brasileira". Comunicação apresentada na mesa redonda "A psicanálise e o fe-

minino", no Simpósio Psicanálise e Política. Rio de Janeiro, PUC-Rio, 22 de outubro.

- 1980: "Racismo e sexismo na cultura brasileira". Comunicação apresentada na Reunião do Grupo de Trabalho "Temas e problemas da população negra no Brasil". IV Encontro Anual da Associação de Pós-Graduação e Pesquisa em Ciências Sociais (Anpocs). Rio de Janeiro (RJ), 31 de outubro.
- 1982: "Insurreições negras e sociedade brasileira" (comentadora). III Congresso Afro-brasileiro. Recife. In: MOTTA, Roberto (coord.). *Os afro-brasileiros*. Recife: Fundação Joaquim Nabuco/Editora Massangana, 1985, p. 43-4.
- 1983: "A mulher negra nos meios de comunicação: causas e efeitos". Coautoria com Benedita da Silva. Comunicação apresentada no Encontro "La Donna, la Comunicazione e lo Sviluppo". Roma.
- 1984: "The black woman's place in the Brazilian society". National Conference, African-American Political Caucus/Morgan Sate University, Baltimore (EUA) (mimeo).
- 1985: "Dois negros libertários". Discurso na sessão solene em homenagem a Luiz Gama e Abdias Nascimento. Assembleia Legislativa do Estado do Rio de Janeiro. In: NASCIMENTO, Elisa Larkin (org). *Dois negros libertários: Luiz Gama e Abdias Nascimento*. Rio de Janeiro: Ipeafro, p. 41-5.
- 1986: participação na mesa redonda "A cidadania e a questão étnica". Seminário "A construção da cidadania". Brasília, Departamento de Sociologia da Universidade de Brasília (UnB). In: TEIXEIRA, João Gabriel Lima Cruz (coord.). *A construção da Cidadania*. Brasília: Editora da UnB, p. 129-84.

- 1986: participação na mesa redonda "A construção da cidadania feminina". Seminário "A construção da cidadania". Brasília, Departamento de Sociologia da Universidade de Brasília (UnB). In: TEIXEIRA, João Gabriel Lima Cruz (coord.). *A construção da cidadania.* Brasília: Editora da UnB, p. 91-128.
- 1988: "A socio-historic study of South American Christianity: the Brazilian case". First Pan-African Christian Churches Conference, International Theological Center, Atlanta (EUA) (mimeo).

Prefácio de livros

- 1978: "Sobre a obra". In: PAULA, W. J. *Versos brancos, negra poesia.* Rio de Janeiro: edição do autor, p. iii.
- 1982: "Prefácio". In: *Cadernos Negros de Poesia*, n. 5, São Paulo, Quilombhoje, p. 3-5.
- 1983: "Griot & guerreiro". In: NASCIMENTO, Abdias. *Axés do sangue e da esperança (orikis).* Rio de Janeiro: Achiamé, 1983, p. v-ix
- 1988: "Yialodê Egbè Eleyè". In: RUFINO, Alzira. *Eu, mulher negra, resisto.* Santos: edição da autora, p. 11-2.

Entrevistas/depoimentos

- 1979: "Lélia Gonzalez". In: PEREIRA, Carlos Alberto M.; HOLLANDA, Heloisa Buarque de. *Patrulhas ideológicas.* São Paulo: Brasiliense, 1980, p. 202-12.
- 1986: jornal *O Pasquim*, Rio de Janeiro, n. 871, p. 8-10
- 1991: *Jornal do MNU*, n. 19, p. 8-9.
- 2000: "A democracia racial: uma militância". *Revista Uapê* – Revista de Cultura, Rio de Janeiro, n. 2, p. 15-9 (republicação da entrevista divulgada no *Informativo Seaf*, 1985).

dobre aqui

CARTA-RESPOSTA

NÃO É NECESSÁRIO SELAR

O SELO SERÁ PAGO POR

AC AVENIDA DUQUE DE CAXIAS
01214-999 São Paulo/SP

dobre aqui

recorte aqui

SELO NEGRO EDIÇÕES

CADASTRO PARA MALA DIRETA

Recorte ou reproduza esta ficha de cadastro, envie completamente preenchida por correio ou fax, e receba informações atualizadas sobre nossos livros.

Nome: ______ Empresa: ______
Endereço: ☐ Res. ☐ Com. ______ Bairro: ______
CEP: ______-____ Cidade: ______ Estado: ____ Tel.: ( ) ______
Fax: ( ) ______ E-mail: ______ Data de nascimento: ______
Profissão: ______ Professor? ☐ Sim ☐ Não Disciplina: ______
Grupo étnico principal: ______

1. Onde você compra livros?

☐ Livrarias ☐ Feiras
☐ Telefone ☐ Correios
☐ Internet ☐ Outros. Especificar: ______

2. Onde você comprou este livro?

______

3. Você busca informações para adquirir livros por meio de:

☐ Jornais ☐ Amigos
☐ Revistas ☐ Internet
☐ Professores ☐ Outros. Especificar: ______

4. Áreas de interesse:

☐ Autoajuda ☐ Espiritualidade
☐ Ciências Sociais ☐ Literatura
☐ Comportamento ☐ Obras de referência
☐ Educação ☐ Temas africanos

5. Nestas áreas, alguma sugestão para novos títulos?

______

6. Gostaria de receber o catálogo da editora? ☐ Sim ☐ Não

cole aqui

Indique um amigo que gostaria de receber a nossa mala direta

Nome: ______ Empresa: ______
Endereço: ☐ Res. ☐ Com. ______ Bairro: ______
CEP: ______-____ Cidade: ______ Estado: ____ Tel.: ( ) ______
Fax: ( ) ______ E-mail: ______ Data de nascimento: ______
Profissão: ______ Professor? ☐ Sim ☐ Não Disciplina: ______

Selo Negro Edições
Rua Itapicuru, 613 7º andar 05006-000 São Paulo - SP Brasil Tel. (11) 3872-3322 Fax (11) 3872-7476
Internet: http://www.selonegro.com.br e-mail: selonegro@selonegro.com.br